TRAVY JOE

51DÍAS

EL REGALO DEL CÁNCER

LO QUE HABLAN ACERCA DE TRAVY JOE Y 51 DÍAS

«Cuando supimos la noticia del diagnóstico de Travy, nos quedamos en shock. Parecía algo irreal, pues el día antes de enterarnos habíamos estado junto a él. Él se veía fuerte, con una sonrisa y ese buen ánimo que lo caracterizan. No fue hasta que escuchamos a Yessy decirnos desde el hospital, con sentimiento en su voz: «Le han dado semanas de vida... No puedo imaginar mi vida sin mi Negrito» ... que entendimos que esto era serio.

«En todo el proceso, Travy mantuvo una postura de fe. Nunca lo vimos quebrantarse, ni titubear en lo que él sabía que era su verdad. Creo que todos los que íbamos a visitarlo mientras estuvo hospitalizado, fuimos inspirados, salíamos con ánimo y con nuestra fe fortalecida al verlo tan positivo, y ver su fe anclada en Dios y en la promesa de su sanidad.

«Por eso nos sentimos inspirados a contribuir esta oración de fe para las personas que, como Travy, están pasado por una enfermedad.»

Oración por salud y sanidad

Señor, tu Palabra dice que Tú eres nuestro amparo y fortaleza, nuestro pronto auxilio en las tribulaciones. Dios, Tú siempre llegas a tiempo, y te pedimos que seas Tú sanando, restaurando, confortando y reanimando a todo aquel que tome este libro en sus manos que necesita una intervención milagrosa en su vida. Dios, haz lo que solo Tú puedes hacer. Para Ti no hay imposibles. En el nombre de Jesús. Amén.
— **Mike y Julissa Rivera**

«Estaba en Nashville trabajando en un proyecto cuando recibí el texto de Yessy. Mi primera reacción fue de mucho asombro y temor, pues se me comunicó que Travy tenía tres semanas de vida. Recuerdo que inmediatamente mis amigos y yo comenzamos a orar y a pelear en contra de este diagnóstico. Durante el proceso, vi en Travy paz y confianza. Cada vez que le llamábamos para ver cómo seguía, me gustaba mucho que Travy siempre contestaba: 'Todo bajo control'.

Oración por salud y sanidad

Sabemos que la obra de Dios ya comenzó en la vida de Travy, y hoy seguimos confiando y no dejamos de creer que Dios terminará Su obra en él. Oramos por una fe firme para Travy y Yessy para que puedan ver terminado este proceso y celebrar la fidelidad de Dios.

— Coalo y Lorena Zamorano

«Cuando me enteré de lo de mi amigo Travy Joe, tanto mi esposa como yo reaccionamos muy sorprendidos porque hablo constantemente con Travy por teléfono, sobre todo, y la noche anterior de esa gran noticia había hablado con él. Todo estaba bien. Lo último que me enteré es que estaba reunido en su apartamento comiendo con un par de amigos.

«Ahí quedó todo. A la mañana siguiente cuando desperté, veo un par de notificaciones en mi celular. Siempre acostumbro apagar mi teléfono o ponerlo en modo de silencio para poder descansar en la noche. Así que no me di cuenta de que me habían escrito durante la madrugada. Era un par de otros amigos míos que tenemos en común con Travy. Y bueno, lo que decían era: 'Travy está en el hospital y algo pasó que no es una buena noticia'.

«Cuando levanté mi teléfono, llamé a Yessy, le dije lo que todos mis amigos me estaban escribiendo, y me dieron la noticia: 'Travy tiene cáncer'. Yo dije: 'Pero, ¿cómo así? Si anoche estaba todo bien y ¿cómo puede cambiar todo de la noche a la mañana?'. Me vestí rápidamente, y mi esposa y yo salimos directo al hospital. La verdad, mi corazón se conmovió mucho porque dije: '¿Dios mío, cómo le están dando tres semanas de vida si no se atiende rápido? ¿Qué pasó? Todo estaba bien'.

«Esto me hizo pensar que la vida es un abrir y cerrar de ojos y hay que aprovecharla. La verdad, fue muy difícil para nosotros asimilar la noticia. Sin embargo, Dios nos llenó de mucha fortaleza para acompañar a Travy en este proceso, y aprendí mucho de él. Personalmente vi una parte de mi Señor Jesús Cristo en su vida porque a pesar de su humanidad, yo vi a un Travy siempre confiado en Dios.

«Cada vez que le iba a visitar en el hospital, yo era quien salía lleno de ánimo. Él siempre hablaba esperanza, siempre decía que estaba todo bien. Siempre lo vi fortalecido y confiado en Dios. Recuerdo a una ocasión que me dijo: 'Yo confío plenamente. Lo único que me queda es Dios'.

«La realidad es que verlo tan animado y tan fuerte en medio del proceso y tan confiado en Dios, me hizo tener más fe en Dios. Me hizo confiar más en Dios. Me hizo depender completamente de Dios. Si hay algo que Travy me enseñó en medio de su proceso es que literalmente predicó lo que él predica a la gente, pero ahora lo aplicó a su vida. Dependamos completamente de nuestro Padre celestial.

«Admiro mucho a Travy y a su esposa, Yessy. No solamente son nuestros amigos; este proceso hizo que nos convirtiéramos en familia. Agradezco a Dios porque aún en medio de este proceso difícil nos mostró Su gran misericordia, Su gran amor. Si pudiera hoy en día decir una oración por gente que tal vez está pasando un proceso como este tan difícil, esta sería mi oración.»

Oración por salud y sanidad

Padre, te pido que me ayudes a verte en medio de la tormenta. Te pido que me ayudes a ver que estás en mi barca y que nunca me vas a dejar solo porque tú me lo prometiste. Te pido que con tu voz traigas bonanza en medio de la tormenta; que me des la fortaleza para pasar todo esto y me recuerdes lo que dice el Salmo 23: que tú eres mi pastor y nada me faltará. Que me dejas descansar en pastos delicados, y que aunque yo atraviese el valle de sombra y la muerte no temeré mal alguno porque tú estarás conmigo.

Ayúdame a abrir mis ojos para ver cuánto me amas y que me demuestras tu amor a través de gente que has puesto alrededor mío, que se llama 'Iglesia'.

Ayúdame a tener un corazón, a aceptar tanto cariño, tanto amor y a saber que sí soy amado por ti; que tú me lo demuestras de tantas maneras, con la provisión de todo lo que necesito. Cuida de los míos, y fortaléceme. Y también te pido sanidad sobre mi cuerpo porque es la orden que tú me has dado.

Ayúdame a orar por sanidad y que no llegue a ninguna conclusión a la que no tengo que llegar porque tu soberanía, tu poder van por encima aún de nuestros cuestionamientos y de lo que no entendemos. Gracias, porque eres un Dios lleno de misericordia, de bondad, y como dice el Salmo 139: «Todos mis días tú los has contado, y es perfecta tu obra».

Yo te doy gracias en el nombre de Jesús. Ayúdame, en medio de todo el proceso, a ser el ejemplo de otros y a ser el instrumento tuyo para hablarles a otros de tu gran amor y misericordia. En el nombre de Jesús, gracias por traer, Jesús, esperanza, amor y reconciliación en mi vida contigo. En el nombre de Jesús. Amén.

— Daniel y Shari Calveti

«La Palabra de Dios en 1 Tesalonicenses 5:17 (NVI) dice: 'Oren sin cesar'. En Santiago 5:16 leemos: 'Oren unos por otros para que sean sanados. La oración del justo es poderosa y eficaz'. La Palabra cobró rhema y no regresó atrás vacía en Travy, sino que cumplió su propósito cuando un ejército de cientos de hermanos en Cristo y amigos suyos tomaron autoridad en acuerdo con él y con Yessy de manera específica durante 51 días. Y vieron ocurrir el milagro de sanidad. Me sentí conmovido al saber que oraron cada día sobre cada resultado médico a pesar de que en ocasiones contradecía el progreso de la sanidad, y que Travy se mantuvo creyendo en paz y fe.

«Felicito a Travy Joe por haber plasmado su vida en este libro, que servirá para que el mundo entienda que Dios hace milagros hoy, como los hizo ayer, y como los hará siempre. Ese es el poder de Su Palabra. Me uno a tu gozo y al de nuestros hermanos en Cristo. ¡Continúa la obra que Dios tiene para ti!»

— Otoniel Font
Pastor, Iglesias Fuente de Agua Viva
Puerto Rico y Florida
Autor, El poder de una mente transformada y Amistades que sanan

«Era muy temprano en la mañana y mi esposa Raquel ya estaba en el teléfono. No sabía con quién hablaba, pero por su expresión corporal supe que era algo serio. Me miró con una expresión de incredulidad y me dijo: 'Llevaron a Travy de emergencia al hospital. Dicen que tiene leucemia'. ¡No podíamos creerlo! '¿Leucemia?', le contesté. 'No puede ser, debe haber un error.'

«Salimos al hospital lo más rápido que pudimos y lo único que pensábamos mientras íbamos de camino es que tendría que haber un error en todo esto. ¡No podía ser! Sabíamos que Dios estaba por hacer algo, pero nunca imaginamos la magnitud de lo que vendría. Pensábamos que al llegar al hospital los doctores le habrían dado otra noticia. Al llegar, nos encontramos con Travy en la habitación recién asignada. Allí en su cama, aún con cara de sorpresa, le abrazamos y al rato llegaba Yessy. Allí nos explicaba lo que había sucedido y cómo les había llegado la noticia. Justo al rato entró a la habitación un doctor para confirmar la seriedad del diagnóstico. Decían que tenía solo semanas de vida y que tendría que empezar tratamiento ya. Allí todos nos percatamos de la seriedad de lo que Travy y Yessy estaban viviendo y lo que les esperaba por delante. Juntos hicimos lo único que podíamos hacer en ese momento: orar.

«Desde ese primer momento que llegamos vimos a un Travy con una postura de confianza y descanso en Dios. Una tranquilidad que parecía no venir de él. Él estaba creyendo a Dios. Sabía que estaba pasando uno de sus peores momentos, pero su fe decía: 'Dios tiene todo el control'.

«Recuerdo que al terminar un tiempo especial de oración que hicimos juntos luego de recibir la noticia, cada uno de los que estábamos le comenzó a compartir palabras de ánimo a Travy y Yessy. Allí les vimos abrazar cada palabra de ánimo que se les daba y recibirla con esperanza.

«Cada vez que les visitábamos, Travy mantenía una actitud de gozo y confianza en Dios. Aun cuando su cuerpo estuviera débil, su disposición y confianza en Dios estaban presentes. Vimos a Travy y Yessy crecer. Su fe creció. Crecieron como matrimonio. Había una unidad que era notable y una disposición de creerle a Dios como nunca. Su mundo había cambiado, pero Su Dios no. Admiramos cómo ambos estuvieron dispuestos a ver y confiar en Dios en medio de la tormenta.

«Siempre nos contaban cómo se aferraban a las palabras que Dios les había dado. Travy decía: 'Si esas palabras no se han cumplido, es que Dios no ha terminado conmigo'. Las visitas al hospital no eran para ver a una persona enferma y sin esperanza. Sí, Travy estaba pasando por un tratamiento fuerte, pero él y Yessy, aunque cansados, siempre tuvieron una actitud positiva y llena de paz y calma. Siempre declaraban su confianza en Dios. Siempre Dios estaba presente.»

Oración por salud y sanidad

Señor, fue por Tu Palabra que formaste todo lo creado. Dios de los cielos, creemos en Ti y en tu Palabra. En ella hay aliento de vida. Señor, hoy oramos que Tu Palabra habla vida sobre cada hueso seco. Trae sanidad sobre cada enfermo y poder para levantar cada cuerpo enfermo.

Clamamos a ti hoy. Sánanos y sé tú nuestra fortaleza. En tu Palabra confiamos y por tu poder nos levantamos. Tú que te levantaste de entre los muertos. Tú que haces lo imposible posible y que reinas con autoridad. En tu nombre oramos, en ese mismo nombre que ha vencido la muerte y que hoy reina con poder. En el nombre de Jesús... amén.

— Jacobo y Raquel Ramos

PRÓLOGO POR **MARCOS WITT**

TRAVY JOE

51DÍAS

EL REGALO DEL CÁNCER

Itálicas y negritas en los textos y citas bíblicas son énfasis del autor.

51 DÍAS: EL REGALO DEL CÁNCER

por **José Abraham Travieso**

© 2021 por Faith Factory Publishing

ISBN: 978-1-63752-588-3

Editado por: Ofelia Pérez

Diseño de portada: Jonathan Rivera y David Muñoz

Diseño interior: JuanShimabukuroDesign @juanshima

Impreso en Colombia
www.milibroimpreso.com

Dedicatoria

Dedico este libro a ti, que estás peleando la dura batalla del cáncer. Quiero que este libro sea una herramienta que puedas utilizar para ayudar en tu recuperación, o en la preparación del plan que Dios tenga contigo. Oro al Padre para que mi historia te inspire y que cada enseñanza que te compartiré sea una bendición en tu vida; que mantengas el ánimo y sepas que Dios no te abandonará, no importa que no le escuches. Día a día, Él caminará contigo.

Agradecimientos

Cada día que vivo es un regalo. Por tal razón estoy tan agradecido con Dios por regalarme vida y acompañarme en este proceso. No me imagino cómo hubiese sido este trayecto sin la ayuda de Él. ¡Gracias, mi Jesús, en todo y por todo!

Gracias a la mujer que el día 29 de noviembre del año 2003 prometió frente al altar que en salud y enfermedad estaría a mi lado. Esa es Yessy, mi esposa. Lo cumpliste, eres una verdadera guerrera. Admiro la manera como manejaste esta situación y que hayas hecho una pausa en todos tus proyectos para estar cada día a mi lado. Me demostraste con hechos un amor verdadero. Eres el regalo de Dios en mi vida. ¡Te amo!

Gracias a mi mamá, María Pagán, que viajó para cuidarme unos días para que Yessy pudiera descansar un poco. Te admiro. Gracias por ser la mujer de oración que eres. El día que te llamé para decirte la noticia me recordaste reclamar Isaías 53:5. Gracias por tu cuidado y por acompañarnos esos días. ¡Te amo mucho!

Gracias a mis amigos, la Dra. Dorcas González y su esposo Charlie Delgado. Ellos fueron quienes nos impulsaron a que visitáramos el hospital urgentemente para que examinaran los cambios en mi cuerpo. Si no fuese por ellos probablemente mi historia sería diferente. ¡Simplemente, gracias!

Agradezco a Dios por cada uno de mis amigos que demostraron ese amor de familia durante todo este trayecto, sostuvieron nuestras manos y nunca nos dejaron solos: los Calveti, los Zamorano, los Rivera, los Estrada, los Ramos, los Calderón, los Peña. Ustedes son nuestra familia en esta nueva ciudad. La carga fue más liviana gracias a ustedes; siempre estaré agradecido.

Gracias a los amigos que viajaron desde otras ciudades para acompañarnos: Harold Guerra, Pastores Gustavo y Malú Barrero, César Vega Ayala, Evan Craft, Ingrid Rosario y Tony López, Maelo Pérez, Pastor Luis Román, Abner Trujillo, T-Bone, Gustavo y Lilia Falcón, mi cuñado Gabriel Bernabe y mi sobrino Henry. Gracias por sacar el tiempo para llegar hasta aquella habitación de hospital y sorprendernos.

Gracias a mi familia en Orlando, Puerto Rico y República Dominicana que desde la distancia estuvieron conectados con nosotros en oración. ¡Estamos agradecidos!

Gracias a ti que oraste por mí, gracias a ti que sembraste una semilla para que mi tratamiento se llevara a cabo. Eres pieza clave en todo mi proceso, tus oraciones y aportación hicieron la diferencia.

Gracias a William Gutiérrez y Joydi Michelle de Pura Palabra Media que cuando había desistido de la idea de escribir este libro, ellos me animaron y como Dios tiene la mejor logística, acomodó todo para que ellos me presentaran a Ofelia Pérez.

Ofelia, gracias por tus consejos para desarrollar este proyecto del libro. Tu ayuda hará que mi historia y cada enseñanza lleguen al corazón de cada persona que esté lidiando esta fuerte batalla.

Gracias a mi amigo Marcos Witt por ser el vocero para dejarle saber al mundo mi situación. Esa publicación activó un gran ejército de oración, y por esas oraciones al Padre hoy sigo aquí.

Gracias a cada uno de mis amigos pastores, compañeros de la música y medios de comunicación que se unieron para orar por mí y se mantuvieron en contacto, ya sea por llamadas y mensajes de texto.

La solidaridad fue tan impresionante durante esta inesperada crisis, que a continuación agradezco a todos aquellos que oraron sin cesar, nos apoyaron y no nos dejaron solos. No puedo mencionar por sus nombres a los miles de guerreros que, incluso sin conocernos personalmente y hasta de manera anónima levantaron sus manos al cielo por mí y nos apoyaron espiritualmente con sus oraciones constantes. A todos ellos, expreso mi más sentida gratitud. A quienes tuvimos más cerca, gracias para siempre. Ellos son:

Abraham Díaz
Abraham Rivera y Marizin Medina
Alex Zurdo y Denisse Contreras
Alfonso Macías
Benjamín Rivera y Bernice Vélez
Bethany Espósito y Aquiles Páez
Jonathan «Big John» Rivera
Carlos Cabán y Christine D' Clario
Carlos Luciano

Carolina Travieso

Chris Méndez y Ann Marie Carrión Méndez

Christian Martínez y Gilmarie Hernández

Danny Rolón

David Hegwood y Lily Goodman

David y Jannin Franco

Eddie Cruz

Elaine Tirado

Elí Acuña

Eliseo Tapia

Fabiola Pachón

Funky y Wanda Marrero

Gateway Church

Gilberto Mangual

Grisel Travieso

Grupo CanZion

Hector y Griselle Estrada

Henry Jiménez

Hugo y Diana Savinovich

Iglesia Mundo de Fe

Jacobo y Raquel Ramos

Javier Bernabe y Carmen Rivera

José González

José y Milagros Méndez

Josh y Sayra González de Morales (Miel San Marcos)

Juan Carlos Rodríguez y Evelyn Herrera (Tercer Cielo)

Juan José Travieso

Juan y Johanna Moreno

Julián Pérez y Dayana Pinzón

Julián y Becky Collazo

Katty Melgar

Leandro Lizarraga

Luis Morales y Samaria González de Morales (Miel San Marcos)

Manny Montes y Xiomara Rodríguez

María Pagán Del Moral

Melissa Díaz

Mike y Julissa Rivera

Olga Figueroa

Pastora Irma Iglesias

Pastores Jairo y Sandra García

Pastores Tim y Abigail Holland

Pastor Gilberto Corredera

Pastor Jesús Vélez Jr. y Minerva Nieves

Pastor Otoniel Font

Raúl Carbajal

Raúl Rodríguez

Raúl y Deborah Lugo

Ray Corea

Redimi2 y Daliza Contreras

Ricardo y Lilly Castilleja

Robert «El Russo» Pérez y Annie Ocasio

Rodrigo Pohyu

Sammy y Alekcia Peña

Sammy Morales y Grace Kang (Miel San Marcos)

Sol Arelis Mateo

T-Bone

CONTENIDO

PARTE 4: LECCIONES DE FE

EL GRAN FINAL

ESTRATEGIAS DE FE

PREÁMBULO DEL AUTOR

POR LA NOCHE DURARÁ EL LLORO,
Y A LA MAÑANA VENDRÁ LA ALEGRÍA.
(SALMO 30:5)

51 días: el regalo del cáncer se puede ver como un libro de testimonio, pero no es tan solo eso. ¿De qué te sirve que te cuente mi crisis, mi vida, si no te cuento cómo atravesé la crisis, Quién me acompañó todo el proceso y cuáles fueron las estrategias para sostenerme en fe cuando todo parecía estar en mi contra?

Este es un libro de aprendizajes en medio de la batalla entre la fe inamovible, el dolor y la apariencia carnal. Es un libro de todos los ingredientes que Dios reúne para cambiar tu vida mientras se manifiesta tu milagro. Es una evidencia de la obediencia unida a la oración para la expresión suprema de lo que es Dios en tu vida.

Vas a aprender que hay poder en la oración. Y pensarás: «Dime algo que yo no sepa». Vas a aprender a orar como Dios te diga que ores en momentos específicos.

Vas a aprender la importancia de la mente positiva. No, no la de la nueva era. Vas a aprender la importancia de la mente de Cristo en ti, que tiene que estar alineada a tu espíritu, para oración.

Vas a aprender la profundidad de haber sido creado a Su Imagen, conforme a Su Semejanza. Por eso tu espíritu, tu mente y tu cuerpo se ponen de acuerdo y tú recibes tu milagro. ¿Lo crees?

Vas a recordar que Dios dijo que nunca te dejará, nunca te desamparará y siempre estará contigo. Todos los milagros no son instantáneos. Pero en los que no lo son, Dios te acompañará durante todo el proceso hasta que tu milagro sea manifestado.

Te invito a creer y a conocer el Amor de Dios y cómo aprovecha cada momento para que seas parte del Poder que es en Él.

Te bendigo,

Travy Joe

PRÓLOGO

Tengo muchos años de conocer a Travy Joe y a su esposa, Yessy. Sin embargo, después de leer este libro, me di cuenta de que era muy poco mi conocimiento de quienes realmente son. A través de estas páginas, descubrí a una pareja resiliente y determinada, llena de la Palabra de Dios y de fe. Encontré que son personas que no cualquier tormenta de la vida los puede destruir, mucho menos distraer de cumplir el propósito al cual Dios les ha llamado. Son personas determinadas, soldados resueltos a cumplir con su compromiso eterno de servir al Señor Jesucristo.

Los que tenemos tiempo en los caminos del Señor, hemos visto cómo las tormentas de la vida destruyen por completo las vidas de algunas personas quienes, en lugar de mirar hacia arriba para recibir fuerzas sobrenaturales, malgastan su tiempo enojándose con la situación o señalando culpables (incluso culpando a Dios), permitiendo que la amargura se anide en su corazón, trayendo así un fin de completa destrucción y derrota personal. Es un hecho que en la vida tendremos pruebas y luchas. A decir verdad, es una de las promesas que nos hizo el Señor Jesús antes de regresar al Padre. Él dijo *«En el mundo tendrás aflicciones…»* (Juan 16:33). Sería terrible si ahí terminara la promesa, pero no. Termina diciendo que podemos confiar en Él porque Él ha vencido (pasado, presente y futuro) al mundo. Si depositamos en Él nuestra fe y confianza, podremos tener la victoria que nos aseguran Sus palabras. Es lo que decidieron hacer Travy Joe y Yessy: poner toda su confianza en Aquel que ha vencido al mundo.

Muchas veces hemos escuchado decir que en las pruebas es donde conocemos quienes realmente somos como personas, como seres humanos. Algunos se derriten ante las circunstancias difíciles. Otros tomamos de una fuerza interior Divina que muchas veces ni sabíamos tener y permitimos que nos mantenga, dirija e impulse hacia un final victorioso. En el peor momento de sus vidas, Travy Joe y Yessy encontraron una fuerza interior que ni siquiera sabían que tenían. ¿Cómo es que la adquirieron? Siendo personas constantes en la Palabra de Dios y en la oración a través de muchos años. Ese depósito de La Palabra que acumularon en su corazón permitió que su fe fuera inamovible y segura, afianzando y protegiéndolos de los dardos de duda y temor que el enemigo lanzó contra ellos. En pocas palabras, decidieron creerle a Dios antes que a los reportes y diagnósticos médicos que estaban recibiendo. Decidieron por la fe.

Este libro, además de ser un testimonial de todo lo que vivieron y sintieron, es un importante manual para aprender de estas extraordinarias personas de fe. Encontrará que está llena de consejos de cómo podemos permitir que nuestros momentos más oscuros se conviertan en grandes oportunidades para victorias inesperadas. De manera muy honesta, Travy Joe y Yessy nos relatan sus sentimientos de duda y momentos de temor, y de cómo los pudieron someter a la Palabra de Dios para que no gobernaran en sus pensamientos y corazón. Nos dan consejos prácticos de algunas cosas que también podemos hacer si nos encontramos en situaciones similares. Estoy seguro de que su fe, como la mía, será fortalecida al terminar de leer este gran testimonio.

Marcos Witt

PARTE 1

CRISIS

*SU PAZ QUE SOBREPASA TODO
ENTENDIMIENTO SE ACTIVA CUANDO LE
ENTREGAMOS TODO A ÉL Y CONFIAMOS EN
QUE SU PLAN ES MEJOR QUE EL NUESTRO.*

EL REGALO DEL CÁNCER

Introducción

SEÑALES DE LO INESPERADO

A principios de marzo del 2019 bajo un frío de 23 grados Fahrenheit, me acompañaban mi amigo Charlie junto con su esposa Dorcas a la grabación de un videoclip en la ciudad de Lewisville, TX. En aquel proyecto yo era el invitado de un artista de Guatemala.

Charlie y Dorcas asistían a mi esposa Yessy que estaba en otro compromiso. Era una tarde tan fría que estábamos súper congelados. Llegó la hora de almuerzo y fuimos a un restaurante de comida rápida en el área. Cuando estábamos comiendo, Dorcas observa que mi ojo derecho estaba rojo y mi brazo derecho tenía un moretón. Dorcas es médico generalista. Eso le pareció muy extraño y fue una alerta para ella. Yo no sentía ninguna molestia en el ojo ni tampoco en el moretón que estaba en mi brazo, pero ella me dijo: «Deberías prestarle atención a eso; puede ser que tengas las plaquetas bajas». Me sonreí y le dije: «Yo me siento súper bien y con fuerzas. ¿Cómo voy a tener las plaquetas bajas?». Ignoré por completo lo que ella me dijo de prestarle atención a ese ojo rojo y el moretón en el brazo.

SE CANCELA EL VIAJE A GUATEMALA

Tenía programado viajar a Guatemala, un país que disfruto mucho cada vez que voy. El propósito de nuestra visita era grabar mi colaboración junto a este hermano artista en su tierra y a la vez participar en dos eventos en diferentes puntos del país. Ocurrió algo que no es tan común que ocurra, por lo menos para nosotros no es común, el que promocionen las actividades anunciando que estaremos en la ciudad, y al final el empresario encargado de enviarnos los boletos aéreos se desaparezca sin dejar rastro alguno.

Dios tiene un plan, Él tiene el control de todo.

Yessy y yo estábamos muy ilusionados de regresar a Guatemala. Teníamos todo listo, incluso las maletas. Solo estábamos esperando el email con la confirmación de los boletos aéreos para pedir un Uber y llegar hasta el aeropuerto. Cuando pasan cosas extrañas como estas, con el pasar de los años hemos aprendido que Dios tiene un plan, Él tiene el control de todo y nos quedamos tranquilos aun sin entender lo que está pasando.

LLAMADA DEL PASTOR CASTILLO

El 20 de marzo de 2019 para mí era un día normal. Me desperté tempranito para buscar a mi amigo Mike Rivera (esposo de la cantante Julissa), pues teníamos una cita con otro amigo, Ricardo Castilleja, que es nuestro proveedor en la tienda de ropa que Yessy y yo tenemos en línea (faithbrand. store). La cita era para probar telas, ver la calidad de trabajo en bordados, y otros detalles.

Ya era medio día, y mientras Mike y yo mirábamos ejemplos de telas y diseños que Ricardo nos estaba presentando entra una llamada a mi teléfono. Cuando miro, era mi amigo, el Pastor Marco Castillo, de París, Francia, de la Iglesia Rhema International. Me llamó para saludarme y la vez preguntarme cuál era el nombre de un aceite esencial que Yessy compra para prevenir el cáncer. Yessy es una mujer que todo lo quiere curar con aceititos; para cada síntoma ella tiene una solución con alguno de los aceititos de su colección.

Mi amigo, el Pastor Marco, estaba preguntando por uno en específico que Yessy le contó la vez que los visitamos en París. Yessy le contaba que según varios testimonios en las investigaciones que ella hizo, las personas lo usan para prevenir el cáncer y hasta ha ayudado para sanar la enfermedad.

Todas estas cosas se sucedían, otras ocurrían simultáneamente, como antesala inexorable del drama y el desafío de fe que se aproximaban.

TENSIÓN DE UNA PREMONICIÓN

Mientras hablaba con él, salí del taller de mi amigo Ricardo y comencé a caminar de lado a lado en la acera frente a la oficina. Sentí un sabor extraño en mi boca, escupí en la acera y me di cuenta de que mis encías estaban sangrando. Era un sangrado extraño, muy líquido. No era el mismo sangrado que he visto en ocasiones cuando me cepillo los dientes. Ahí me empecé a preocupar. No le dije nada a mi amigo el pastor, ni tampoco a Mike ni a Ricardo.

Me quedé callado, pero mientras seguíamos riéndonos y compartiendo en el taller de Ricardo estaba un poco preocupado por dentro y me preguntaba: «¿Por qué estoy sangrando así?». Ya cuando nos fuimos de allí le pasé la llave a Mike y le dije que condujera. Estoy en el asiento del pasajero, llamo a Yessy para contarle cómo estuvo el proceso de probar el material que fuimos a ver y le pregunté: «¿Quieres que te lleve algo para cenar?». Ella se quedó en el teléfono pensando y nada le hacía «clic». No quería cenar comida de afuera.

Yessy y yo teníamos una reunión de planificación en el apartamento junto a nuestro amigo Carlos Alamino, Jr., dándole seguimiento a un proyecto que marcaría la historia en la isla de Cuba: el primer festival de música urbana cristiana en La Habana, Cuba. Yessy me dice: «¿Por qué no llamas a Charlie (El amigo de quien les hablé al principio) y le dices que venga y cocine aquí?». Yo le contesté: «Yo no me atrevo a llamarlo y decirle: 'Hey, Charlie ven y cocina en casa para nosotros...' Se me cae la cara de vergüenza, yo no me atrevo». A la verdad es que la comida de Charlie es muy sabrosa. Cualquiera hubiese pedido lo mismo, que Charlie viniera a cocinar.

Finalmente lo hice, llamé a Charlie y de inmediato comenzó la planificación. Ya él tenía unas costillitas adobadas listas para ir al horno. Lo único que tenía que hacer era cambiar el plan para en vez de ponerlas en su horno ponerlas en nuestro horno, y Yessy estaría más que feliz. Dicen por ahí que si la reina está feliz, el castillo también está feliz. Créanme, lo he comprobado, es una gran realidad.

Mike llamó a Julissa y le dijo que llegara hasta el apartamento. Paramos a comprar algunos encarguitos que hacían falta. Carlos Alamino, Jr. estaba llegando para la reunión que teníamos agendada. En medio de la reunión me paré para ir al baño, pero seguía ocultando mi preocupación del sangrado en mis encías. Cuando me paré frente al espejo vi que tenía nuevos moretones en mi piel, y me levanté la camisa y sobre mi pecho había grandes moretones.

Me acordé de las palabras de Dorcas. ¿Recuerdan que me dijo que debería prestarles atención al moretón y al ojo rojo, pues probablemente podía tener las plaquetas bajas? Ya habían pasado dos semanas de esa conversación y salí del baño súper preocupado. Yo sabía que no podía seguir quedándome callado. Sabía que algo andaba mal en mí y poco a poco me le acerqué a Yessy mientras Carlos atendía una llamada. Lo que hice fue tan solo levantarme la camisa y Yessy abrió los ojos tan grandes, con una respiración profunda y llena de preocupación. Agarró el teléfono y llamó a nuestra amiga Dorcas, la doctora, esposa de Charlie.

Yessy estaba histérica. Dorcas contestó el teléfono, y Yessy le explicó lo que estaba pasando. Dorcas le respondió diciendo: «Tranquila, ya estoy aquí en el estacionamiento. Ahora lo examino y vemos qué tiene. Vayan al baño y miren en qué otras partes del cuerpo tiene moretones». Fuimos al baño, me desvestí, Yessy comenzó a buscar y encontramos muchos más moretones que no habíamos visto.

El ambiente se tornó tenso. Todos los que estábamos en el apartamento estábamos a la expectativa de lo que Dorcas bajo su experiencia iba a decir. Finalmente, Charlie y Dorcas entraron y lo primero que hizo Dorcas fue examinarme. Me dijo que me acostara y comenzó a apretar mi barriga y me preguntaba si tenía algún dolor. Yo le contestaba que no y al mirar los moretones que eran bastante notables nos dijo: «Deben ir a un hospital, a sala de emergencias. Lo más grave que puedes tener es una leucemia». Lo dijo con una tranquilidad y manteniendo la calma para que no nos alarmáramos.

Tomamos la decisión de cenar primero para luego salir al hospital.

Cuando mi amigo Charlie estaba en el proceso de preparar la cena continuaba el ambiente tan tenso que parecía una funeraria. La reunión de planificación que estábamos teniendo quedó a un lado, Charlie dejó de hacer todo lo que estaba haciendo y comenzó a orar por mi salud y para que hubiera paz y pudiéramos disfrutar de la cena. En la cena estaban Mike y Julissa, Carlos Alamino, Jr., Charlie y Dorcas, Yessy y yo.

El tema de conversación en la mesa cambió. Ahora todo era basado en el extraño comportamiento en mi cuerpo. Levantaba mi cabeza después de mirar mi plato, que por cierto estaba muy rico (costillas al horno con pasta en salsa Alfredo), y lo que miraba en cada uno de ellos era preocupación. A pesar de que la cena estaba deliciosa, la preocupación que estaba dentro de mí no me permitía disfrutar la cena.

Terminamos de cenar, todos los amigos se fueron y Yessy me dice: «Date una ducha para irnos al hospital». Me bañé y me vestí. Nuestra cama estaba vestida y encima de la cama estaba mi famosa gorra negra con la cruz y las tres líneas. Cuenta Yessy que antes de apagar la luz de la habitación para irnos, ella la miró y dijo entre sí: «Nos vamos, pero siento en mi corazón que no regresaremos por un tiempo a nuestro nido».

1

20 DE MARZO DE 2019

SOMBRAS DE MUERTE

Llegamos a la sala de emergencias de un hospital que quedaba a unos ocho minutos cerca de nuestro apartamento. Me tomaron todos los datos necesarios que siempre piden antes de que la doctora me examinara. Cuando finalmente me acuesto en la camilla para que la enfermera tome los vitales miré el reloj que estaba en la pared y exactamente eran las 10:00pm. Estaba muy asustado; no quería escuchar una mala noticia.

Llegó a aquella pequeña habitación la enfermera para sacarme la sangre y hacer el examen que diría por qué mi cuerpo estaba reaccionando de esa manera. Cada minuto que pasaba era un calvario. La desesperación se apoderaba de mí y Yessy, que en todo momento estuvo a mi lado, estaba tratando de distraerme con diferentes temas de conversación. Yo me daba cuenta que solo lo hacía para distraerme de la realidad que estábamos a punto de vivir.

Durante la espera llega nuestro amigo Charlie que se había ido a su casa junto a su esposa Dorcas después de la cena. Algo no lo dejaba tranquilo, y sintió que tenía que llegar al hospital para acompañarnos en ese proceso. Luego de una hora y quince minutos, nuevamente entra la enfermera para sacarme sangre por segunda ocasión. Ahí comencé a preocuparme aún más. Mi mente decía: «¿Por qué me está sacando sangre otra vez? ¿Será que lo que tengo es sumamente grave?». Yessy, pareciendo que escuchó mis pensamientos, preguntó: «¿Por qué están sacando sangre nuevamente?». La enfermera le contestó: «Necesitamos hacer más análisis, y ya aquella sangre no se puede usar».

Pasaban los minutos y me seguía desesperando. Ya eran las 3:01am y mi amigo Mike estaba en su casa durmiendo. Preocupado, se despertó para orar por mí y nos escribió un mensaje de texto dejándonos saber que estaba despierto y orando. Pasaron algunos minutos cuando finalmente entra a la habitación la doctora y con tan solo mirar su cara supe que no traía buenas noticias. Se sentó y preguntó: «¿Puedo decirles el resultado delante de él?», refiriéndose a Charlie. Le dijimos que sí, ¡adelante! La doctora continuó y nos dijo: «Ya hemos revisado todo y hemos descartado todo. Estamos seguros de que usted tiene una de estas dos enfermedades: VIH o cáncer».

Al escuchar esas dos enfermedades se me derrumbó el mundo. Estamos hablando de palabras mayores. Mi cuerpo se sintió frío desde la cabeza a los pies. Yo no podía creer lo que estaba escuchando; para mí era algo irreal. Fue un momento muy difícil para Yessy y para mí, y creo que un poco incómodo para Charlie, que estaba allí presente.

Recuerdo mirar fijamente la pared que me quedaba de frente, mientras Yessy me sostenía la mano izquierda. Hablaba con Dios en mi mente y solo le preguntaba: «¿Esto es real lo que estoy escuchando?». Yessy en ese momento interrumpe la conversación que estaba tratando de establecer con Dios, y en su forma única y jocosa tratando de procesar la noticia que nos estaban dando me pregunta: «Bueno, ¿hay algo que quieras decirme?», refiriéndose en el caso que llegara a ser positivo al VIH. Nos miramos a los ojos, nos reímos y le dije: «Tú sabes que no. Después de nuestra crisis matrimonial llevamos 16 años juntos y tú conoces todos mis secretos». Los que conocen a Yessy saben que una de sus muchas virtudes es hacer reír a las personas que están tristes, y animarlas.

En ese momento ella me contestó en forma jocosa: «Yo solo pregunto si hay algo de lo que me deba enterar», y seguido a eso continuó diciendo: «Lo vamos a superar, sea lo que sea; esto no tiene sentido». Ahí mismo recordó que en su

Lo que Dios promete Él lo cumple, Él no se arrepiente.

teléfono tenía grabado el audio de una Palabra profética que recibimos a través del ministerio profético de nuestra iglesia Gateway hace unos años atrás, donde Dios me hablaba de cosas que iba a hacer tanto en mi vida personal como en el ministerio, que aún no se habían cumplido.

Al escuchar ese audio me remonté a ese momento donde Dios me hablaba y recordé sentir que realmente era Dios hablándome. No era palabra de hombre. Acostado en aquella camilla en la sala de emergencia me dije a mí mismo:

«Lo que Dios promete Él lo cumple, Él no se arrepiente». Es algo que menciono mucho cuando predico. Escuchar esa profecía me llenó de mucha paz. De sentir miedo todo cambió al pensamiento de que todo estaría bien, que solo era un proceso y que de ese proceso tenía algo que aprender. Sí...

> *«Dios no es **hombre, para que mienta, ni** hijo de **hombre para que se arrepienta**. Él dijo, ¿y no hará? Habló, ¿y no lo ejecutará?»* (Números 23:19, énfasis añadido).

EL CERRAJERO: LA ACTITUD ANTE DIOS

Hace unos años atrás cuando vivíamos en Orlando un viernes en la noche, Yessy y yo nos proponíamos salir a cenar. El sistema de la camioneta que teníamos no permitía que las puertas se cerraran con seguro si la llave se quedaba adentro. Cuando estábamos a punto de montarnos para irnos se me resbaló la llave y cayó en el asiento del chofer. No sé por qué a la misma vez empujé la puerta sin pensarlo. Todo fue muy rápido, se cerraron las puertas con seguro, y nosotros hasta el sol de hoy no logramos entender cómo eso pasó.

Yessy y yo nos miramos a los ojos. Fueron miradas de asombro tratando de analizar cómo fue que se cerraron esas puertas si yo las empujé, pero no tenían el seguro puesto. Me molesté mucho, no teníamos otra llave y dije: «Ahora esto va a costar muy caro, vamos a tener que contratar a un cerrajero». En medio de todo esto, Yessy tenía paz y estaba tranquila y me dijo: «Esto no tiene sentido». Ella entró a Internet, consiguió a un cerrajero, y esperamos unos 45 minutos hasta que llegó el cerrajero.

Era un joven venezolano acabado de llegar al país, y trabajaba para la empresa que lo envió. Entre conversaciones con él nos enteramos de que el costo del servicio tenía que dividirlo con su jefe. Hizo un gran trabajo, muy profesional y rápido.

Dios depositó un don muy especial en Yessy, que puede percibir cuando alguien está en necesidad y cuando alguien está fingiendo. Nosotros teníamos un dinero apartado para bendecir a alguien que sintiéramos que estaba en necesidad. Cuando nos disponíamos a pagar sus servicios y en un momento donde el joven va a su pequeña camioneta a guardar sus herramientas, ella me miró y me dijo: «Págale y busca el dinero que tenemos guardado; vamos a bendecirlo». Cuando le entregamos el pago por sus servicios y luego le dijimos que el dinero adicional era para él, comenzó a llorar y nos explicó que él estaba en su casa y era un tiempo lento para trabajos. Su esposa estaba embarazada y estaban pasando por una fuerte crisis económica que ni si quiera tenían para comprar un litro de leche.

Dios nos estaba usando para suplir su necesidad. La cantidad que le estábamos ofrendando era tres veces más que el costo de sus servicios. Nos sentimos tan llenos de alegría de poder ser un canal de bendición para esa familia, que la molestia que yo sentía al principio porque las puertas se cerraron se me fue por completo. Yessy lo había dicho: «Esto no tiene sentido». La manera como ocurrió todo era porque Dios tenía un plan. Nos quería usar para suplir esa necesidad. Más adelante entenderás por qué te cuento esta historia.

Luego del momento difícil del posible diagnóstico y la incertidumbre de no saber a ciencia cierta o extraoficialmente cuál enfermedad tenía o qué tipo de cáncer, mi amigo Charlie se despide y se va a su casa. Luego me llevan a la habitación donde pasaría la noche. Durante el trayecto iba pidiéndole a Dios en mi mente que me diera fuerzas. Yessy y yo estábamos muy callados y asustados, las enfermeras nos recibieron en la habitación y me quedé dormido. Yessy no se despegó de mí en ningún momento. Me acosté a dormir esperando a ver qué pasaría el día siguiente mientras Yessy se quedó orando arrodillada en aquella habitación.

Cuando llegan situaciones difíciles a nuestra vida y sabemos que lo que está pasando no tiene sentido, debemos mantener la calma, detenernos, reflexionar y orar al Padre. En mi caso le dije a Dios: «No entiendo lo que está pasando, solo te pido que nos des paz y que podamos entender lo que nos quieres enseñar con esto».

2

¿TRES SEMANAS DE VIDA?

Amaneció y volví a la realidad que estaba viviendo, vestido con una bata de esas que dan en los hospitales y pensé: «Esto es real, realmente esto está pasando». Cercano a las 9:30am entra a la habitación una mujer elegantemente vestida, no tenía puesta la famosa bata blanca que comúnmente usan los doctores. Era la oncóloga, quien comenzó a explicarle a Yessy el diagnóstico basado en las pruebas de sangre que me habían hecho la noche anterior.

Acostado en aquella camilla estaba mirando la escena en donde la oncóloga le está explicando a Yessy en inglés. Yo domino muy poco el idioma. No entendía con exactitud lo que le estaba explicando, pero al mirar la cara de Yessy sabía que lo que la oncóloga estaba diciendo no eran buenas noticias. Comencé a sentir ansiedad, sentí miedo en ese momento, veía cómo la oncóloga le hablaba a Yessy con un tono de firmeza y muy segura de lo que estaba hablando.

La oncóloga le dijo: «Queda descartado el VIH, ya sabemos lo que tiene tu esposo. Él tiene leucemia, cáncer en la sangre. Lo que aún no sabemos es qué tipo de leucemia

Lo que le queda es un máximo de tres semanas de vida.

tiene. Lo sabremos cuando le hagamos el examen de médula ósea que le haremos esta tarde, pero si no comienza el tratamiento de quimioterapias en este momento, lo que le queda es un máximo de tres semanas de vida».

La cara de Yessy cambió totalmente; yo conozco muy bien a mi esposa. Era una cara de angustia y dolor. Yessy es una mujer muy fuerte, luchadora y es capaz de enfrentar situaciones difíciles con la quietud necesaria para resolver el problema que sea; admiro mucho eso de ella. Yessy siempre ha creído en remedios naturales y en la medicina alternativa. Hemos estado cerca de gente que ha pasado por el proceso difícil del cáncer, y por años Yessy y yo nos hemos puesto de acuerdo en que si algún día alguno de los dos tenemos que pasar por una situación como lo es el cáncer, nos negaríamos a que nos administraran quimioterapia.

Durante la conversación que estaban sosteniendo, Yessy, un tanto ignorante a lo que estábamos viviendo, le dijo a la oncóloga lo siguiente: «Yo creo en los aceites esenciales y remedios naturales. Puedo ayudar aplicando aceites y dándole jugos verdes para que no tengan que ponerle quimioterapias». La oncóloga le respondió un poco enojada: «Sí, tú puedes hacer eso, pero de seguro se te va a morir en menos de tres semanas». Y volvía y lo repetía: «Se te va a morir, lo puedes hacer, pero se va a morir».

Yo no entendía lo que estaba pasando, y le pregunté a Yessy qué fue lo que le dijo. Ella me dijo que era necesario que me aplicaran quimioterapias para salir del proceso que

No te apropies de tu enfermedad. No hables sobre ella como «tengo...» o «mi...».

estábamos viviendo. Yessy me omitió por completo lo que la oncóloga dijo que solo me quedaban máximo tres semanas de vida. Ella no quería creer esas palabras y no quería preocuparme diciéndome eso o declarando eso sobre mí. Desde aquel momento, según me di cuenta después, *Yessy evitó a toda costa recibir palabras de muerte, y me protegió de que yo las recibiera. Así nos prepara Dios.*

Ante una situación de enfermedad, no recibas palabras de muerte. No te apropies de tu enfermedad. No hables sobre ella como «tengo...» o «mi...».

PARTE 2

¡A LA BATALLA!

APRENDER EL SALMO 23 ES UNA HERRAMIENTA PARA EL DÍA MALO. «AUNQUE ANDE EN VALLE DE SOMBRA Y DE MUERTE NO TEMERÉ MAL ALGUNO PORQUE TÚ ESTARÁS CONMIGO.»

EL REGALO DEL CÁNCER

3

DIAGNÓSTICO Y APOYO DE LOS AMIGOS

Me habían enseñado que los amigos desaparecían en el día difícil, pero a nosotros Dios nos los multiplicó. Nunca nos dejaron solos.

La habitación se llenó de amigos que nunca nos abandonaron durante todo el proceso, amigos que demostraron una genuina amistad y lealtad, amigos que, más allá que amigos, se convirtieron en familia y nos hicieron la carga más liviana.

Ya pasada la 1:00pm llegaron a la habitación para trasladarme al área donde me practicarían el examen de médula ósea. Estaba súper nervioso, no sabía a lo que me iba a enfrentar, siempre había escuchado que era un proceso doloroso y difícil. Yessy y nuestra amiga Mary Calderón me acompañaban. Nuestra amiga estaba documentando todo el recorrido en video con su teléfono, con la idea de mostrar el testimonio de este proceso en un futuro. Llegamos al punto donde no podían entrar. Aquella habitación estaba muy fría, me acosté boca abajo en la camilla y los doctores comenzaron a preparar el área en mi espalda baja.

En todo momento estaba consciente, escuchaba sus conversaciones y lo relajados que ellos estaban (como que practican ese examen todos los días). Me pusieron anestesia local solo en esa área y comenzó el proceso. Poco a poco esa aguja entraba hasta llegar al hueso en mi espalda baja y totalmente consciente sentía el trabajo que estaban haciendo. Puedo compararlo como cuando voy al dentista y comienza a trabajar puliendo algún diente. Sabes que está trabajando, sientes un poco de movimiento, pero no te duele. Así es que lo puedo describir. Fue un procedimiento tranquilo que duró aproximadamente unos 30 minutos. Era más el miedo que sentía de lo que realmente fue el procedimiento. Luego me pasaron nuevamente a la habitación. Estaba llena de todos mis amigos que vivían en el área.

Se fueron enterando poco a poco, cada uno de ellos tratando de darme ánimo en aquella habitación, cantando alabanzas, pero a la vez todos en «shock» por lo que estaba pasando. Estuvieron tratando de hacer chistes y decir cosas jocosas para mantenerme distraído. Mi mente decía: «No puedo creer que esto está sucediendo». Pero a la vez sabía que Dios tiene el control de todas las cosas y mi situación no era la excepción.

Mientras mis amigos estaban ahí me preguntaron cómo me sentía, qué estaba pensando y mi respuesta fue la siguiente: «Si Dios lo quiere hacer, Él me sanará y si me tengo que ir con Él no hay problema. Esa es la meta de todo cristiano». Continué diciendo: «Todos los días luchamos y trabajamos para ganar la carrera. Si llegó el tiempo, ¿qué más puedo hacer? Irme con Él». Morir no es algo malo, es un regalo poder estar en su presencia. Realmente me sentía preparado en caso de que me tuviera que mudar al cielo, pero a la vez me pasaba por la mente que en caso de que eso ocurriera

Las relaciones de amistad son un factor decisivo en la salud y en la longevidad de las personas.

qué pasaría con Yessy y mi familia. Esa era mi preocupación.

No quiero pasar por alto la narración de este momento en que comenzó un apoyo incondicional de presencia, apoyo y oración de mis amigos. Las relaciones de amistad son un factor decisivo en la salud y en la longevidad de las personas. Hay una tendencia de ver la amistad de manera ligera, cuando la importancia de tener amigos es señalada por Dios y avalada por estudios científicos. No tengas a menos a tus amigos.

*La Palabra dice: «En todo tiempo ama el **amigo**, Y es como un hermano en tiempo de angustia» (Proverbios 17:17).*

Está más que demostrado que las personas con fuertes lazos sociales tienen un 50% más oportunidad de sobrevivencia (viven más tiempo). Si la amistad suma años de vida por sí sola, piensa ahora en cómo se multiplica ese poder de la amistad si le agregas el poder de la oración en momentos difíciles.[1]

---

1   Consultas en línea: https://www.businessinsider.com/a-study-of-300000-people-reveals-the-keys-to-a-longer-happier-life-2017-10; https://www.newsweek.com/friendships-are-beneficial-older-adults-study-633778

EL MENSAJE DE TEXTO QUE DIO LA VUELTA AL MUNDO

Yessy había enviado un mensaje de texto a tres personas que Dios le puso en el corazón para que comenzaran a orar. Unas horas después, a las 6:24 pm, recibí una nota de voz al WhatsApp, de parte de mi amigo Marcos Witt, dejándome saber que se había enterado de lo que estaba pasando y tanto él como su esposa Miriam estaban orando por mi situación. Me pidió autorización para publicarlo a través de sus redes sociales para activar un ejército masivo de oración. Le dije que esperara porque aun mi mamá no sabía lo que estaba sucediendo y no quería que se enterara a través de las redes sociales.

Tú sabes lo que tienes que hacer, tienes que reclamar la Palabra.

De pronto se abre lentamente la puerta de la habitación y se asoma mi amigo Harold Guerra del dúo Harold y Elena, y pastor de la iglesia Hosanna Woodlands, que viajó 4 horas desde Houston, TX hasta Dallas para saber qué estaba pasando y servir de apoyo en mi situación.

Me puso muy contento y a la vez me sorprendió verlo llegar. Él mostraba cara de tristeza; no podía creer lo que estaba pasando. El domingo anterior habíamos estado Yessy y yo en su congregación ministrando, compartimos en su casa y hasta salté en el trampolín jugando con sus hijos, todo lo que hace una persona normal que no está enferma.

MI MADRE EN FE Y LA ORACIÓN UNIVERSAL

Llegó la noche y yo no encontraba la forma de llamar a mi mamá y contarle lo que estaba pasando. Estaba dando vueltas y vueltas buscando las palabras correctas para que el impacto no fuera tan fuerte y ella se pudiera quedar tranquila. Mi mamá es una mujer de oración y llena de fe, al igual que Yessy. Ella es una mujer fuerte que enfrenta los problemas hasta salir adelante. La llamé a Puerto Rico y en ese momento ella estaba manejando hacia la casa. Le conté lo que estaba sucediendo y de inmediato me contestó: «Tú sabes lo que tienes que hacer, tienes que reclamar la Palabra». Y me citó parte de Isaías 53:5: *«Y por su llaga fuimos nosotros curados».* Yo esperaba una reacción diferente, estaba preocupado por cómo se lo iba a decir y cómo ella reaccionaría, pero me sorprendió mucho su fortaleza. Me sentí muy orgulloso de mi mamá y a la vez me dejó muy tranquilo.

Le envié un mensaje de texto a Marcos y le dije: «Ya hablé con mi mamá, todo está bajo control, puedes publicar y activar el ejército de oración». Minutos después ya eran pasadas las 10:30pm y me trasladaron en ambulancia a otro hospital en el corazón de la ciudad de Dallas. Este hospital es parte del mismo donde yo estaba, pero en este se especializan en oncología.

Al momento que me suben a la ambulancia, de camino al otro hospital veo cómo mis redes sociales se desbordaron en mensajes. Yessy estaba conmigo en la ambulancia y su teléfono también estaba estallando en llamadas y mensajes de textos. Cuando leí la publicación que hizo Marcos sentí un frío por dentro. Era la primera vez que leía la palabra «cáncer» refiriéndose a mí. Me entró preocupación y nuevamente este único sentimiento de que lo que estaba viviendo era real.

Me preocupé por mi equipo de trabajo. Yo quería que se enteraran a través de nosotros y no por las redes sociales. Le dije a Yessy: «Comienza a enviar mensajes para que estén al tanto de lo que está pasando y la vez oren». La publicación de Marcos decía lo siguiente:

> *«En este momento, un gran amigo, un querido hermano en Cristo y salmista en CanZion, @travyjoe, atraviesa una dura batalla ante un diagnóstico de cáncer. Querido Travy, hablamos palabras de vida y sanidad para ti. El Señor Jesús al que sirves desde tu juventud, te haga atravesar esta prueba tomado de Su mano en fe y victoria absoluta. | | Por favor, ore conmigo por la salud total de Travy Joe. #OraciónEnCadena».*

Esa publicación provocó que el público nos mostrara el cariño y el afecto que nos tiene. No sabíamos cuánta gente nos ama. Comenzaron a llegar mensajes de todas partes del mundo dejándonos saber que estaban orando por mí. Sentí muy fuerte el amor de Dios hacia nosotros y el amor de la gente que escucha mi música. Ese amor fue uno de los ingredientes que me fue llenando de valor.

> *«En el amor no hay temor, sino que el perfecto amor echa fuera el temor…» (1 Juan 4:18).*

La perfección de Dios está en todo lo que Él creó, empezando por nuestro cuerpo. Cuando tememos, el cerebro da órdenes de segregar en el cuerpo humano todo tiempo de sustancias tóxicas que, por definición, hacen daño al cuerpo. Cuando el amor nos inunda, el cerebro ordena al cuerpo echar fuera esas sustancias tóxicas y segregar sustancias que traen paz y salud, y ordenan el sistema fisiológicamente. La Palabra del Señor tiene un equivalente perfecto en el cuerpo humano.[2]

---

2 Inspirado en contenido de Leaf, Caroline, Tu yo perfecto, Whitaker House, 2018.

4

«Estamos en las manos de Dios»:
VISITACIÓN DE FE DE UN DESCONOCIDO

Llegamos al nuevo hospital y mi amigo Harold Guerra, junto a Carlos Alamino Jr., (¿recuerdan a Carlos, el de la reunión cuando encontré los moretones?) estaban manejando detrás de la ambulancia. Nos reciben las enfermeras en aquella nueva habitación y nos dan la bienvenida. Yessy estaba muy cansada y preferimos que fuera a descansar al apartamento mientras mi amigo Harold se quedaría conmigo esa noche en el nuevo hospital. Ya eran como las 11:30pm y las enfermeras apagan las luces y se despiden de nosotros para que finalmente pudiéramos descansar.

Harold, acostado en una incómoda y pequeña cama y yo en aquella camilla comenzamos a charlar un rato sobre la realidad que yo estaba viviendo. Minutos después entra a la habitación un hombre que llamaré «Dr. James Smith». Era un hombre blanco norteamericano con pelo y barba rojizos. Estaba vestido con el mismo estilo de uniforme color azul

Estamos en las manos de Dios.

que las enfermeras, pero el azul de él era más oscuro que el que usaban las enfermeras. Se presentó y nos dio la bienvenida de su parte y nos dijo: «Iré al laboratorio y haré unos análisis para ver qué tipo de leucemia tienes». Lo miré y le dije: «Estamos en las manos de Dios» (señalando hacia arriba). Él continuó mirándome directo a los ojos y afirmó repitiendo exactamente lo que yo le había dicho: «Estamos en las manos de Dios», pero con un tono de afirmación, seguridad y paz.

Eso llamó mi atención, la manera como lo dijo y de la manera como me miró. Él se fue y Harold y yo nos despedimos para dormirnos. A las 2:50 am suena el teléfono de la habitación, nos despertamos desorientados y mi amigo Harold contestó el teléfono. Era el «Dr. James Smith». Con el silencio de la madrugada en aquella habitación, podía escuchar un poco la voz del «doctor Smith», y sonaba con tono de alegría y buenas noticias. De pronto comienzo a escuchar a mi amigo Harold llorar. Para lo que conocemos a Harold sabemos que él llora de cualquier cosita, pero esta vez estaba llorando diferente.

Yo estaba desesperado por saber lo que el «doctor Smith» le estaba diciendo. Harold colgó el teléfono, se sentó en una silla que estaba al pie de mi camilla, continuó llorando y me dijo: «Perdóname, Travy, es que ahorita estoy botando el golpe». Y seguía llorando y yo esperando pacientemente que él terminara de llorar. Finalmente me contó lo que el «doctor Smith» le dijo: «Acabo de hacer los análisis en el laboratorio y el resultado dice que él tiene Leucemia APL (leucemia promielocítica aguda.) De todas las leucemias esta es la mejor que pudieron haber elegido si tuvieran la oportunidad de elegir» (en tono de alegría). Continuó diciendo: «Esta leucemia tiene cura, es cuestión de hacer el tratamiento. Más del 98% de los pacientes que tienen ese tipo de leucemia sobreviven».

Dios no deja de ser bueno porque todo se vea mal. Su bondad se revela sobrenaturalmente en medio de la dificultad.

Respiré profundo, se me salieron las lágrimas de la alegría al escuchar esa noticia y allí mismo acostado en aquella camilla comencé a darle gracias a Dios en silencio por su fidelidad y misericordia. Fue un momento muy bonito; ya quería que amaneciera para darle la noticia a Yessy. Ya eran las 3:15am y nos acostamos a dormir nuevamente.

> **Dios no deja de ser bueno porque todo se vea mal.**

Quería volver a ver al Dr. Smith, portador de buenas nuevas que se puso de acuerdo conmigo en que «estamos en las manos de Dios». Lo buscamos. Durante el resto de los días que estuve hospitalizado, pregunté por él muchas veces. Me trajeron fotos de todo el personal médico y de enfermeros del hospital, especialmente los que en algún turno podían haber estado relacionados con mi cuidado. Nadie lo conocía, ni sabían quién era. No pude identificar ninguna foto, la descripción que di no coincidía con nadie. Nunca regresó a mi habitación, nunca más lo volví a ver.

Al día de hoy, pienso que recibí una visitación sobrenatural de parte de Dios, un ángel, en uno de los momentos más críticos de mi proceso; una visitación que me inundó de fe y fortaleció mi espíritu y mi mente.

UNA EXPLICACIÓN ALENTADORA

En medio de la incertidumbre y de una fe un poco sombreada de temor, las palabras del Dr. Smith fueron el aire de paz en medio de la crisis. Había un proceso qué pasar, que tenía que sostenerse en fe y en la presencia de Dios. Pero las palabras fueron de fortaleza. Por eso compartimos esta información sobre el diagnóstico.

La leucemia promielocítica aguda (APL, por sus siglas en inglés) es un subtipo único de la leucemia mieloide aguda (AML, por sus siglas en inglés) en el que las células en la médula ósea que producen las células sanguíneas (glóbulos rojos, glóbulos blancos y plaquetas) no se desarrollan ni funcionan de forma normal. La leucemia promielocítica aguda comienza con uno o más cambios adquiridos (mutaciones) del ADN de una sola célula productora de sangre. Las células de leucemia promielocítica aguda tienen una anomalía muy específica que afecta a los cromosomas 15 y 17 y produce la formación de un gen de fusión anormal.

En la leucemia promielocítica aguda se produce un exceso de glóbulos blancos inmaduros y estos se acumulan en la médula ósea. Los signos, síntomas y complicaciones de la leucemia promielocítica aguda se generan por la producción excesiva de promielocitos y la producción insuficiente de células sanguíneas sanas.

El tratamiento con un medicamento llamado ácido holo-trans-retinoico (ATRA, por sus siglas en inglés), que se dirige a las anomalías cromosómicas, ha producido resultados muy exitosos. El trióxido de arsénico (ATO, por sus siglas en inglés), administrado solo como monofármaco,

también es eficaz en el tratamiento de la leucemia promielocítica aguda, probablemente aún más que el ATRA.

Gracias a los avances en el diagnóstico y tratamiento de esta
enfermedad, hoy se considera que la leucemia promielocítica
aguda **es el tipo más curable de leucemia en adultos.** Se
han informado tasas de curación del 90 por ciento en cen-
tros especializados en el tratamiento de la leucemia promielocítica aguda.[1]

*Cuando llega a nuestra vida una situación grave que nuestra huma-
nidad no entiende, es preciso asirnos a cada esperanza que Dios nos
envía para que estemos en acuerdo con Él en que viviremos el milagro.*

*«Busqué a Jehová, y él me oyó, y me libró de todos mis temores».
(Salmos 34:4)*

---

1   Consulta en línea: https://www.lls.org/sites/default/files/National/USA/Pdf/Publications/Spanish_APL_Fact%20
Sheet__12_15.pdf

5

DECLARAR PALABRA OPORTUNA

Después de recibir esa buena noticia en la madrugada, estaba con buen ánimo a pesar de que estaba postrado en aquella camilla. La noche anterior, Yessy se había ido a descansar al apartamento y una de sus características es ser fuerte y darles ánimo a los que lo necesitan, pero por dentro tiene un corazón muy blandito. Ella, estando sola en el apartamento, se encontró con la realidad que estábamos viviendo, se acostó a dormir y a pesar de lo cansada que estaba, se despertó muy temprano en la mañana y bajo las sábanas de nuestra cama comenzó a llorar. Estaba muy abrumada con todo lo que estaba sucediendo y a la vez con ese sentimiento o la incertidumbre de no saber si yo viviría o moriría. Ya eran las 6:00am y algo extraño pasó: escuchó en su teléfono el sonido que indica que recibió un mensaje de texto.

Cuando digo extraño es porque nuestros teléfonos tienen una función de «Do not disturb» (No molestar) y están programados para que se active automáticamente desde las 10:30pm hasta las 8:30am los 7 días de la semana. Eso significa que cualquier llamada o mensajes de textos que entren durante ese horario no los escucharemos; solo nos daremos cuenta de ellos cuando miremos la pantalla.

Te daré fuerzas y te ayudaré; te sostendré con mi mano derecha victoriosa.

El mensaje de texto que entró venía de una persona que tenía muy poca comunicación con Yessy. Era extraño recibir un mensaje de esa persona y menos a esa hora. El mensaje que esta persona le envió fue un pasaje bíblico que está en Isaías 41:10 (NTV): *«No tengas miedo, porque yo estoy contigo; no te desalientes, porque yo soy tu Dios. Te daré fuerzas y te ayudaré; te sostendré con mi mano derecha victoriosa».*

Era exactamente lo que Yessy necesitaba leer. El sonido del mensaje de texto a una hora no programada no fue un error del teléfono. Era Dios mismo diciéndole: «Hey, tranquila, no tengas miedo (después de verla llorar la noche anterior). Te daré fuerzas y te ayudaré». ¡Wow! Poderoso (Dios sabía lo que venía). *«Te sostendré con mi mano derecha victoriosa.»* En un próximo capítulo Yessy cuenta más detalles sobre cómo vivió nuestro proceso, el mensaje que recibió, y la diferencia que hizo en ella.

Yessy llegó al hospital alegre y confiada de que Dios tenía todo bajo control y nos ayudaría en todo el proceso, y de inmediato quiso compartirlo conmigo y con Harold. Me llenó de ánimo aún más y mis preocupaciones comenzaron a calmarse. Ya había escuchado una buena noticia durante la madrugada y Yessy llegó a ponerle la fresa final al pastel con el mensaje de texto que le llegó. Me sentía confiado y estaba dispuesto a someterme a cualquier cosa que dijeran los médicos porque sabía que todo lo que hicieran saldría bien. Dios tenía toda la situación bajo control.

Después que Yessy nos contó lo que le pasó, Harold y yo le contamos lo que a nosotros nos pasó en la madrugada y se puso aún más contenta. Durante la alegría que estábamos viviendo entraron a la habitación dos doctores, un hombre y una mujer. Eran los oncólogos que estarían a cargo del comienzo de mi tratamiento. Lo primero que la doctora me dijo fue: «Bueno, prepárate para pasar los 28 días más aburridos de tu vida, porque hoy comenzarás el tratamiento y permanecerás aquí en esta misma habitación durante todo este periodo». Dije: «Wow, 28 días aquí». Para mí fue algo inesperado; no sabía la gravedad de mi situación.

Para que tengan una idea, cuando llegué al hospital mis plaquetas estaban casi en el piso. Estaban en 18 cuando lo normal es 150 o más. Básicamente me estaba muriendo. Mi hemoglobina también estaba muy baja y comenzaron a darme transfusiones de sangre y plaquetas para estabilizar mi situación.

Los doctores comenzaron a explicarnos el tipo de tratamiento que me estarían aplicando, el tratamiento llamado «Lo Coco treatment» ó «Tratamiento Lo Coco» que fue descubierto en el año 2013 por el médico italiano Francesco Lo Coco, en Roma, Italia. En este tratamiento se administran juntos el ácido holo-trans-retinoico que se le conoce comúnmente como (ATRA). Son pastillas similares a la vitamina A, combinado con trióxido de arsénico. Suena fuerte ¿verdad?

Yessy comenzó a coordinar la cancelación de compromisos y vuelos que estaban en agenda porque pasaríamos un largo tiempo en aquel hospital.

Entre tantas instrucciones, enfermeras y doctores entrando y saliendo de mi habitación, no habíamos podido sacar el tiempo para informar a mis seguidores y a la gente que estaba orando por mí lo que estaba pasando. Dios tocó el corazón de nuestro amigo César Vega Ayala de la agencia de mercadeo Promoción y Medios que viajó también desde la ciudad de Houston para apoyarnos en este proceso. Él se había enterado por las redes sociales de lo que estaba pasando y notó que nosotros no habíamos enviado ninguna reacción en nuestras propias redes. Llegó para saber nuestra reacción y redactar junto a nosotros el primer comunicado de prensa que publicamos en nuestras redes.

Algo muy importante que practiqué durante ese tiempo que estuve en aquella habitación fue mantener mi mente positiva, llena de fe y en acuerdo con la Palabra de Dios. Sostuve el pensamiento de que «Dios lo tiene todo en control».

Nunca pregunté por qué esto me estaba pasando a mí. Simplemente me dije a mí mismo: «Esto está realmente pasando, vamos pa'lante a enfrentarlo. El por qué no me preocupa, estoy en sus manos, estoy en sus planes desde antes de mi nacimiento, creo que todo lo que me pasa es bueno aunque no lo entienda». Sí pedí fuerzas para pasar por el valle de la muerte y no olvidar que Él estaba conmigo. Le pedía a Dios todos los días que les diera sabiduría a los doctores y enfermeras que estaban a cargo de mi tratamiento para que no cometieran errores durante el proceso, y que el tratamiento funcionara según el plan establecido, siempre pensando que Dios era el dirigente de aquel grupo de doctores y enfermeras.

Cuando las situaciones se salen de nuestras manos, debemos dejar que Dios se encargue en solucionarlas. Enfrentemos los retos que lleguen a nuestra vida con mucha valentía; llorando o rindiéndonos no solucionaremos nada, pero con fe y declarando con tu boca que la tormenta pasará y así mismo será, la tormenta pasará.

Según el diccionario de la Real Academia española la palabra «declarar» significa «dicho que tiene autoridad, puede manifestar ánimo, intención, afecto, dicho de una persona». Cuando declaramos sanidad sobre una persona o sobre nosotros mismos se activa un poder sobrenatural en donde lo que parecía imposible se hace posible.

Cuando declaramos sanidad sobre una persona o sobre nosotros mismos se activa un poder sobrenatural en donde lo que parecía imposible se hace posible.

6

DESCANSAR EN DIOS CAMBIA LAS COSAS

Yessy comenzó a cambiar su rutina diaria para acompañarme en aquel proceso. Se mudó conmigo a aquella habitación y todas las mañanas me preparaba jugos verdes para aportar valor nutricional a mi cuerpo y que no tuviera en él tan solo los químicos de los medicamentos. Ya teníamos la rutina de tomar jugos verdes en las mañanas. Cuando los doctores entraban a la habitación los sorprendía el aroma del difusor con aceites esenciales mezclado con las frutas y vegetales que Yessy me preparaba. Un día uno de ellos nos dijo: «Sigan haciendo eso (refiriéndose a los jugos), que eso ayuda». Continuamos haciendo eso cada mañana.

En términos clínicos, mis plaquetas subían y bajaban y mi hemoglobina seguía estando por el piso. Esos primeros días eran muy preocupantes. Diariamente me hacían transfusiones de sangre y de plaquetas. Mis labios comenzaron a cambiar; estaban muy resecos por los medicamentos y continuamente mudaba mi piel en los labios.

La habitación comenzó a llenarse de amigos que llegaban a bendecirnos a Yessy y a mí. Estos amigos se convirtieron en familia. No nos dejaron solos durante todo el proceso. Unos amigos pegaron en las paredes diferentes textos bíblicos que hablaban de la sanidad y otros con los diferentes nombres de Dios. Hubo un texto que lo tenía exactamente frente a mí y lo repetía diariamente. Es el Salmo 118:17 que dice: *«No moriré, sino que viviré, y contaré las obras de Jehová»*. Leer en voz alta ese versículo me llenaba de paz y esperanza, mi mente y corazón se llenaban de fe y confiaba en mi corazón que todo iba a estar bien.

Cuando mantenemos nuestra mente tranquila con el pensamiento de que todo estará bien, las cosas comienzan a cambiar para bien. Ahí es donde realmente comenzamos a aplicar la fe, a descansar tranquilos porque sabemos que nuestro Padre tiene todo bajo control y está obrando a nuestro favor.

7

EL MISMO DIOS QUE HIZO AQUEL MILAGRO...

*«Cuídate **de no olvidarte de** Jehová, que **te sacó de** la tierra **de** Egipto, **de** casa **de** servidumbre»* *(Deuteronomio 6:12, énfasis añadido).*

Para mantener viva tu fe, recuerda que Quien hizo los milagros ayer en nuestra vida o en las Escrituras, los va a hacer hoy y los hace siempre.

Yo soy un milagro viviente y soy testigo del poder de Dios. En 1986 cuando tenía 5 años de edad mi mamá comenzó a notar que mi forma de caminar no era la correcta y visitó a un ortopeda. Las pruebas de rayos X confirmaron que tenía una condición llamada lordosis y a la vez escoliosis. La lordosis es una curvatura de la columna vertebral hacia adentro en la zona inferior de la espalda. La escoliosis es una curva con desplazamiento lateral de la columna vertebral, que le da a la columna un aspecto de «S» o de «C» en vez de una «I» recta.

Los doctores le decían a mi mamá que me tenían que operar para corregir el rumbo de mi columna vertebral, pero era muy pequeño para una operación de tal magnitud. Ellos decían que cuando tuviera la mayoría de edad, si no me operaban de doce años en adelante, estaría parapléjico en una silla de ruedas con una distrofia muscular el resto de mi vida. Fue una noticia muy impactante para mi mamá.

En ese tiempo mi mamá asistía a la iglesia católica y en medio de su desesperación y buscando alternativas para ayudar a corregir la condición que yo tenía, una vecina le dice que la acompañe a visitar la iglesia evangélica, la Iglesia Cristiana Amor y Verdad allí en Levittown, del pastor Jesús Vélez, Jr.

Cuando el pastor hace el llamado, mi mamá se le acerca y le cuenta la condición que yo estaba pasando en ese momento, de la lordosis y escoliosis, y el pastor le dice: «Acuéstame a tu niño en la parte derecha del altar, que vamos a hacer una oración de fe creyendo por un milagro en tu niño hoy». Mi mamá, siendo una mujer católica, desesperada comienza a creer en fe que Dios me va a sanar. El pastor estaba convencido de que Dios iba a hacer la obra.

El pastor involucra a la congregación para que todos extiendan su mano hacia el frente y comienzan a orar por mí. Toda la congregación comenzó a orar, el pastor comenzó a orar. Mi mamá con la poquita fe que tenía, esto era algo nuevo para ella, comenzó a creer por ese milagro. Para sorpresa de todos allí en aquella congregación Dios me sanó en el altar de la iglesia.

Acostado en aquel altar mi columna vertebral comenzó a enderezarse. Era un milagro de esos creativos donde Dios quiso hacerlo ahí en ese mismo instante. Todos estaban sorprendidos y alabando a Dios por el milagro que estaban viendo; el pastor estaba súper contento y mi mamá sorprendida llorando de alegría por lo que estaba pasando.

Todos se quedaron sorprendidos porque muchas veces se ora por sanidad, y sí, cuando vayas al médico, el médico te va a decir que estás sano. Pero verlo que ocurra en el momento ahí acostado en el altar, es impresionante. El pastor quedó impactado y la iglesia quedó sorprendida. Desde ese momento mi mamá se convirtió al evangelio, es perseverante hoy en día y es una mujer de oración y de fe.

Mi sanidad instantánea marcó a la iglesia. Luego mi mamá visita a los médicos nuevamente para ver científicamente lo que decían ellos. Los médicos se sorprendieron porque las primeras pruebas de rayos X enseñaron que yo tenía la curvatura, que tenía la condición. En las segundas pruebas de rayos X ellos querían comprobar qué es lo que había pasado, y vieron que todo estaba bajo control. Obviamente Dios me había sanado.

El especialista quería asegurarse que no hubiera un error y nuevamente me sometieron a una tercera prueba de rayos X. Cuando llegó el resultado, el doctor le comentó a mi mamá lo siguiente: «Señora Pagán, le tengo buenas noticias. Estas placas indican que su hijo está sano de lordosis y de la escoliosis. Todo está bien, no hay rastros de la condición». Mi mamá le comentó lo que Dios había hecho en la iglesia y el doctor le respondió: «Definitivamente tuvo que haber sido la mano de Dios porque es notorio el cambio de las primeras pruebas a estas últimas».

Ese momento del milagro marcó a mi familia y cambió el rumbo de mi vida. De ese momento en adelante mi mamá comenzó a congregarse en esa iglesia que me vio crecer. El pastor Jesús Vélez, Jr. me casó con Yessy, a quien conocí en su iglesia, y fue mi pastor por muchísimos años hasta que me mudé a Orlando en el 2004. Estuvo muy pendiente en esta situación mía del cáncer. Él quería volar a verme; estaba convencido de que Dios iba a hacer la obra porque él lo vivió antes. Lo honro dondequiera que me paro porque él jugó una parte muy importante durante mi crecimiento.

Yo tengo 39 años, mido 6 pies y 2 pulgadas, soy bastante alto y estoy derecho. La realidad es que Dios se les adelantó a los médicos. Los médicos no tuvieron que hacer nada. Yo no tengo cicatriz de bisturí de mano de hombre. Nunca he ido a un quiropráctico. Dios se adelantó, me sanó, punto y ya.

Hoy día yo voy a Puerto Rico, y personas de aquella época, señoras mayores que todavía están allí, siempre me recuerdan: «Yo estaba allí el día que Dios te sanó en aquel altar». Eso es algo que no se olvida.

Hay poder en la oración con fe pidiéndole al Padre. Dios siempre quiere lo mejor para sus hijos y busca la manera de complacernos. Ese domingo en la mañana todos unieron su fe pidiéndole al Padre por mi sanidad. Definitivamente Dios tenía que hacer algo; todos sus hijos estaban pidiendo con fe. La Biblia dice que la fe mueve la mano de Dios y eso fue lo que ocurrió. Dios movió su mano a mi favor por la fe de aquellos hermanos. Igual movió su mano a mi favor por el acuerdo de fe de todos mis hermanos y amigos.

En medio de mi situación, al recordar lo que Dios había hecho en mi vida a los 5 años, mi fe se fortalecía más, mis pensamientos se alineaban a que la prueba que estaba viviendo pronto pasaría, y que solo estaba en aquella habitación para tomar un descanso.

Dios tiene el poder para sanar, pero también tiene el tiempo para acompañarnos durante el proceso difícil que estemos atravesando. Muchas veces oramos por sanidad y nos desesperamos porque no vemos el milagro de inmediato. Tengamos por seguro que Dios está escuchando nuestras oraciones y tiene un hermoso plan para nosotros. Él es muy creativo para hacer las cosas y a la vez es un gran maestro que aprovecha las situaciones para que podamos aprender de lo vivido y ayudar a otros que estén atravesando por el proceso que ya nosotros hayamos superado. Debemos ser buenos alumnos para aprender y pasar la prueba, confiados en que Él nos acompaña en el proceso.

Dios tiene el poder para sanar, pero también tiene el tiempo para acompañarnos durante el proceso difícil.

8

CREER LA PROMESA

Todos los días eran repetitivos. Me despertaban a las 4:00 AM para sacarme sangre y hacer laboratorios para monitorear mis números. Me quedaba en la camilla con todas las luces apagadas esperando que Yessy despertara. Mientras miraba el techo de la habitación, lo que salía de mí era agradecimiento a Dios por permitirme vivir un día más. Eran momentos muy lindos en medio de lo que estaba viviendo. Todos los días cuando Yessy despertaba ponía una canción de alabanza para orar juntos y agradecer a Dios por ese día que estaba comenzando.

Cada mañana los oncólogos nos visitaban para informarnos cómo estaban los números después de los análisis de laboratorio que me hacían cada madrugada. La rutina era que los médicos llegaban entre 7:30 AM a 8:00 AM para leerme lo que decía el laboratorio, ver cómo yo estaba, auscultarme para saber cómo estaban mis pulmones. Ya que estaba acostado todo el tiempo, querían saber que no estuviera reteniendo agua en los pulmones.

Ese día los números no estaban bien. Mis plaquetas continuaban bajando y mi hemoglobina seguía por el piso. Continuaban haciéndome transfusiones de sangre y plaquetas para seguir estabilizándome. No me sentía bien físicamente y me aplicaron medicamentos para controlar las náuseas. Esos medicamentos me hacían estar más dormido que despierto. Recuerdo que mientras estaba acostado en aquella camilla me sentía entre dos mundos, despierto y casi dormido.

Una de las claves para que las cosas sucedan es creer, y cuando crees, las cosas comienzan a suceder.

Llegó una señora cristiana mexicana, una voluntaria de nombre María, enviada por el hospital. Cuando entró a la habitación se sorprendió al ver lo joven que me veía y pasando por una situación como esta. Comenzó a hablar con Yessy. Yo casi no podía entender lo que estaban hablando.

Me sentía fuera de este mundo por los medicamentos. Lo que puedo recordar es que comenzó a orar por mí. Esa era su misión: visitarnos para orar. Durante la oración dijo algo que sí puedo recordar con claridad; fueron estas palabras: «José Abraham (ese es mi nombre de pila), sobre ti hay promesa, declaro sanidad para ti en el nombre de Jesús». Lo dijo con una seguridad y gran autoridad que se me quedó grabado en mi memoria.

Una de las claves para que las cosas sucedan es creer, y cuando crees, las cosas comienzan a suceder. Yo creí lo que Doña María dijo en la oración «José Abraham, sobre ti hay promesa». Una vez más el Señor me estaba recordando que todo estaría bien porque Él me había prometido cosas que faltaban por cumplirse. Recordé que lo que estaba viviendo era solo un proceso más en la vida.

Cuando tienes esperanza, tu mente y tu corazón comienzan a sentir paz en medio del proceso, ayudando a que el tratamiento que te están aplicando sea efectivo y termine con éxito.

Por ejemplo: imagina a una persona que le guste fumar y los médicos le diagnosticaron un tumor canceroso en uno de sus pulmones. Lo hospitalizan y le practican una operación para extirpar el tumor, luego le dan remisión y se está recuperando en su casa con medicamentos. Durante ese tiempo de descanso y recuperación sale a fumar nuevamente. ¡Despierta! ¿De qué valieron la operación y los medicamentos que se está tomando si está dañando el proceso volviendo a hacer lo que le provocó el tumor, volviendo a fumar?

Eso mismo pasa si tu mente está batallando con pensamientos negativos durante el procedimiento que los médicos te están aplicando. Los pensamientos deben estar llenos de esperanza, fe. Siempre pensar y hablar positivamente hará la diferencia en medio del tratamiento.

«Si dos de vosotros se pusieren de acuerdo en la tierra acerca de cualquiera cosa que pidieren, les será hecho por mi Padre que está en los cielos.» (Mateo 18:19).

La Palabra de Dios es insistente en el poder del acuerdo. Nuestra mente, que es hechura divina, no debe combatir las herramientas de sanidad que se nos ofrecen en la tierra ni a los médicos que las administran. Debemos ponernos de acuerdo con que todo será efectivo y obrará para bien y creer que Dios es quien obra para que todo dé los resultados que se esperan.

9

ORACIÓN ESPECÍFICA

Durante el proceso que mis plaquetas estaban muy bajas, gracias a la tecnología Yessy comenzó a hacer videos para publicarlos en las redes sociales. Eran *updates* para que la gente estuviera informada sobre cómo estaba funcionando el proceso. Yessy pedía oración específica para que subieran mis plaquetas.

Una vez más Dios nos sorprendía porque *después de pedirle oración específica al ejército de oración, a la gente que me sigue en las redes sociales de todas partes del mundo, los números comenzaban a subir.* ¡Dios estaba escuchando y respondiendo a las oraciones de un gran pueblo!

Comenzamos a experimentar esos milagros diariamente. Veíamos cómo Dios metía su mano poderosa para demostrarnos que Él estaba allí con nosotros en medio de ese proceso, y que estaba escuchando las oraciones de cada uno de nosotros.

Cuando miro atrás hacia aquellos días, entiendo que la oración y la fe incluyen estrategias que les acompañen y nos fortalezcan. En los Evangelios, varias veces vimos a Jesús utilizar diferentes métodos para sanar. Él no los necesitaba, pero las personas a quienes ministraba lo necesitaban. Igual es con nosotros. Algunas estrategias nos las envía Dios directamente, a través de personas o situaciones. Otras nos las dice para que las llevemos a cabo. Te menciono algunas:

- ◆ Recibir la Palabra que Dios se encarga de enviarnos y aferrarnos a ella aunque el mundo natural te diga otra cosa. Mis resultados de sangre bajaron, pero yo me aferré a la promesa que Dios puso en labios de María, la misionera, cuando me la recordó.

- ◆ Saber redirigir la petición de oración hacia lo específico. Teníamos un ejército orando por mi sanidad, pero esos días mi sanidad significaba números clínicos específicos, y así pedimos oración, creyendo. Y así recibimos respuesta y los números subieron.

- ◆ Aferrarnos a tener la mente de Cristo, alineada y en total acuerdo con lo que nuestro espíritu está pidiendo y creyendo. No batalles con pensamientos negativos sobre si algo médico o espiritual funciona o no. Nuestra mente, diseñada por Dios, tiene que pensar que todo, absolutamente todo obra para bien para los que esperamos en Jehová.

A veces sentimos el silencio de Dios y muchas veces nos pasa por la mente: «¿Para qué voy a orar si parece que Dios está tan ocupado que no escucha mis oraciones?». La realidad es que Dios escucha cada oración, la contesta y actúa en el momento perfecto y preciso. Tengamos la seguridad que Él nos escucha y actuará en el momento que menos lo esperamos y nos sorprende. Eso es lo maravilloso de Dios, eso es lo que nos enamora más de Él cada día.

10

TIENES CÁNCER, PERO NO ESTÁS ENFERMO

Una mañana uno de los doctores entró a la habitación muy desesperado, en estado de emergencia. En ese momento yo estaba acabando de salir del baño y el doctor muy azorado me preguntó: «¿Tú puedes respirar, tú puedes respirar?». Con un tono de susto y nervioso, le contesté que sí y él continuó diciéndome: «Respira, respira profundo». Yo respiré lo más profundo que podía. Yessy trató de preguntarle algo y él le dijo: «Ahora no, no es el momento». Y salió corriendo de la habitación.

Yessy y yo nos miramos y le dije: «¿Se habrá equivocado de paciente?». No comprendíamos por qué el doctor estaba de esa manera. Poco tiempo después nuevamente llegó el doctor a la habitación y nos explicó por qué reaccionó así anteriormente. Resultó ser que esa mañana mis números habían llegado tan y tan bajos que se suponía, según los números, que yo estuviese acostado en la camilla a punto de un fallo respiratorio. La realidad es que yo me sentía normal, no sentía ninguna dificultad para respirar.

El doctor continuó diciendo: «Deja ver cómo te explico esto. Tu diagnóstico dice que tienes leucemia, pero no estás enferma». Volvió y repitió: «Tú tienes cáncer, pero no estás enferma». Yo me quedé analizando lo que el doctor nos acababa de decir y le dije a Yessy: «¿Cómo es eso de que tengo cáncer, pero no estoy enferma?». Yessy me dijo: «Bueno, de la manera como puedo entender lo que dijo es si lo comparo con la enseñanza que dice la Biblia en Daniel 1:8 sobre Daniel y sus amigos. Decidieron no contaminarse comiendo la comida del rey y solo comieron verduras, y sus rostros se veían más sanos y saludables». Yessy continuó diciendo: «Ha valido la pena tomar jugos verdes durante estos pasados años».

Cuando las apariencias físicas son alentadoras, pero contrarias a lo que presentan las circunstancias (en mi caso, los estudios médicos), Dios está dejándonos ver el preámbulo del milagro. Es Su manera de que veas tu milagro, antes de que ocurra a nivel médico. Muy pronto se va a alinear la verdad de Dios con la realidad médica. Así fue que me vi: saludable.

PARTE 3

EL REGALO DEL CÁNCER

EL REGALO DEL CÁNCER ES MUCHO MÁS QUE UNA FRASE. ES UNA CONVICCIÓN DE QUE TODO LO QUE LLEGA A NUESTRAS VIDAS ES PARA BIEN Y PARTE DE UN PLAN MAYOR QUE UNO MISMO. ES CONFIANZA Y RENDICIÓN COMPLETA DE TU VIDA.

11

LA ENFERMEDAD QUE SANA

Dios nos acompaña en el proceso y me atrevo a decir que aprovecha nuestra quietud temporera para mostrarnos cómo arregla tras bastidores algunos asuntos importantes que hemos guardado en nuestro interior, que dejamos sin resolver, que soltamos dando prioridad a otras cosas, o decidimos enterrarlos pensando que así nos dañaban menos.

Él en su Palabra nos manda varias veces a que perdonemos. Él es tan perfecto que nos ha hecho ver cómo lo recóndito de nuestro corazón, lo irresoluto y la falta de perdón (aunque ni seamos conscientes de que no hemos perdonado) nos perjudica. Dios le ha revelado a la ciencia durante más de 20 años el daño que los asuntos no resueltos y las heridas ocultas que no hemos perdonado dañan el cuerpo, e incluso causan enfermedades crónicas o letales.

Perdonar reduce el riesgo de ataques cardiacos; mejora el sueño y los niveles de colesterol; disminuye el dolor, la presión arterial, los niveles de ansiedad, depresión y estrés; y reduce la posibilidad de enfermedades crónicas y terminales. Hay un aumento en la conexión perdón-salud, a medida que aumenta la edad.[1]

El cáncer me hizo un regalo y yo pienso que es porque Dios estaba poniendo en orden mi cuerpo desde su interior, y a partir de tiempo atrás. Dios me sanó desde adentro. Por otro lado, en su sabiduría infinita, me afianzó en Su Paternidad amorosa y cuidadora, y aumentó mi fe y mi confianza en Él, sanando mi relación con mi padre biológico acá en la tierra. Entendí que Él quiso que yo viera un reflejo Suyo de paternidad, y me premió por creer en Él por encima de mis vivencias humanas.

Sabemos que *cuando no ha habido relación paterno filial, es eso lo que cargamos como obstáculo para relacionarnos con el Padre.* Si no tenemos a nuestro lado a un buen padre, ¿cómo reconocemos a un Padre que no vemos? ¿Cómo confiamos en quien no vemos? Dios se encargó de que yo lo viera y le creyera a Él a pesar de todo. Pero no le bastó. Me regaló, en medio de mi proceso, la restauración de mi relación con mi padre terrenal.

No te hago esperar más para contarte...

Yo no me relacionaba con mi papá desde hacía más de 30 años. La última vez que recuerdo haberme relacionado con él fue cuando tenía unos ocho años. Mi papá es un músico. Mi papá conoció a mi mamá en Puerto Rico. Mi papá, cuando conoció a mi mamá, era el sonidista del cantante Sergio Vargas, que es un cantante de merengue en República Dominicana y lo conocen en América Latina. Cuando visitó a

---

1   Consulta en línea. https://www.hopkinsmedicine.org/health/wellness-and-prevention/
forgiveness-your-health-depends-on-it

Puerto Rico, conoció a mi mamá. Ahí, en uno de los bailes, fui engendrado yo.

Nunca viví en República Dominicana. Mi papá siempre vivió en República Dominicana donde tenía su esposa, y actualmente vive allí. Cuando él venía a Puerto Rico, hacía el esfuerzo de verme, pero siendo yo pequeño, llegó un punto donde perdimos la comunicación y dejamos de vernos. Me enviaba cartas, me enviaba fotos de cuando tuvo a mis hermanas, a Grisel y a Carolina, para que yo conociera que tenía dos hermanas allá en República Dominicana.

Luego perdimos la pista hasta luego que existieron las redes sociales, entiéndase Facebook, Instagram. Nos reconectamos a través de las redes sociales, pero no en persona.

Mucha gente podrá criticar el por qué, siendo yo una persona que viaja mucho, no he sacado el tiempo para conectarme con mi papá o visitarlo a República Dominicana. Se preguntarán por qué yo no he hecho ese esfuerzo. La realidad es que mi papá viaja mucho, al igual que yo viajo mucho y acomodar las agendas para que nosotros nos podamos reunir ha sido bien cuesta arriba, ha sido complicado.

Cuando surge esta noticia de que tengo cáncer, obviamente ya nosotros estamos conectados a través de las redes sociales, y yo le doy la noticia a mi familia. Mi familia también se entera a través de lo que las redes sociales están mostrando. Ahí es donde empieza una relación más allá, una relación donde hay una comunicación todos los días, de cómo me estoy sintiendo, cómo va el proceso.

Se muestra mi papá con una preocupación genuina de cómo estoy yo, de cómo la estoy pasando. Empiezan mi familia, mis hermanas, a orar desde allá, y a estar en comunicación todos los días, a enviarme a través de WhatsApp remedios caseros de lo que podía comer o de lo que podía tomar para que estuviera bien. Hicimos un grupo familiar en WhatsApp, donde todos nos comunicamos. Es un grupo donde diariamente comento cómo me estoy sintiendo y así todos se enteran a la misma vez: mi papá, Juan José, y mis dos hermanas, Grisel y Carolina.

Es algo muy bonito, porque a pesar de que nosotros no nos vemos, mi papá y yo, incluso mis hermanas, que las conocí en el año 1997, la única vez que las vi, con esta conexión a través del WhatsApp la enfermedad me regaló esa nueva relación con mi familia en República Dominicana. Cuando digo, «mi familia», me refiero a mi papá, mis hermanas Carolina y Grisel, porque se siente una hermandad, aunque no nos hemos relacionado como familia.

Con este proceso del cáncer, yo siento como si hubiéramos estado juntos toda la vida. He sentido una preocupación genuina de parte de mi papá y de parte de mis hermanas, que han estado muy pendientes. Siento que el cáncer me regaló, me devolvió esa conexión con ellos para, de ahora en adelante, restablecer una linda relación de familia, algo que tenía como una asignación pendiente, algo que tenía en mi corazón, algo que quería que ocurriera desde hace mucho tiempo.

No me atrevía a acercarme, aunque pienso que mi papá también estaba buscando la oportunidad de acercarse a mí. Pienso que, probablemente, él no se atrevía a acercarse más a mí porque, a lo mejor, él pensaba que falló como padre en no buscarme en tantos años, y yo, a lo mejor, no me acercaba tanto a él, pensando: «Mi papá no me quiere. No me ha buscado en todos estos años». Pero, con esta situación que ocurrió, de que me diagnosticaran la condición de leucemia, al él acercarse y mi familia también, siento el apoyo y la cercanía.

Algo se rompió; se rompió una barrera donde él puede unirse a mí como padre preocupado por su hijo. Yo entiendo que eso fue un regalo del cáncer, porque

El cáncer fue la enfermedad que nos sanó.

me dio la oportunidad de relacionarme nuevamente con mi familia a través de una buena conversación, sin rencor, sin sentir ningún resentimiento de, «¿por qué te desapareciste tantos años?».

Me atrevo a decir que el cáncer fue la enfermedad que nos sanó.

Algo que he podido experimentar es que cuando perdonamos hay libertad, que cuando perdonamos se siente bien el corazón, se siente bien uno. Hace mucho tiempo atrás yo perdoné a mi papá por no estar cerca de mí, por estar ausente en los momentos más importantes de mi vida. Eso me ha hecho muy fácil relacionarme con él, aunque sea a través de las redes sociales o a través de WhatsApp y de la tecnología.

No siento remordimiento cuando hablo con él, al contrario, me siento contento por esta unidad, esta relación. He aprovechado lo que ocurrió. Dios permitió que esta relación se diera a través de esta enfermedad.

Lo he visto como el regalo del cáncer: Se restableció mi relación con mi familia paterna; vi cómo mi fe en Dios durante mi proceso trascendió hasta llevarme a una relación de confianza con mi padre acá; y me digo a mí mismo diciéndole al mundo: el cáncer me sanó las heridas que tenía y las que desconocía. Ese es el regalo del cáncer.

12

NO TEMER A LA MUERTE

Yo antes le tenía miedo a la muerte; no podía imaginarme lo que pudiera pasar. Pensaba: «Si me muero hoy, ya se acaba la vida. No va a pasar nada. Vivimos y se acaba todo».

Pero, la realidad es que cuando me dieron la noticia de la posibilidad de morir, me dije: «Si me tengo que quedar, bien». Era una bendición si Dios me sanaba, y si me tenía que ir, mudarme al cielo, también iba a estar bien porque es la carrera que todo cristiano quiere ganar.

El cáncer me trajo ese regalo. Me dio la paz y la tranquilidad de que si me iba con Él, todo iba a estar bien. Aprendí a valorar que, si llega el momento de irme, voy a estar mejor en el cielo.

He escuchado muchos testimonios de gente que van al cielo y le dan la oportunidad de volver a la tierra. Les dicen: «No es tu tiempo y tienes que regresar». Mucha gente no quiere regresar porque lo que han visto allá es mucho mejor y sienten una paz especial.

Yo he escuchado esos testimonios y eso me lo he llevado al corazón. Al momento que me dijeron, «tienes leucemia», pensé: «Si me tengo que ir, okay, no hay ningún problema». No obstante, si eso me hubiera ocurrido hace un tiempo atrás, hubiera sido muy aterrador para mí.

Ese es uno de los regalos que el cáncer me trajo: no tenerle miedo a la muerte; estar tranquilo. «Porque para mí el vivir **es** *Cristo, y el* **morir es ganancia»** (Filipenses 1:21, énfasis añadido).

13

VALORAR A LOS AMIGOS

El cáncer me regaló la lección de valorar a los amigos. Tengo muchos amigos y la gran mayoría de mis amigos son personas influyentes de la música cristiana.

Cuando hablo de mucha gente influyente, estoy hablando de Daniel Calveti, Coalo Zamorano, Jacobo Ramos, Julissa, Christine D' Clario, Benjamín Rivera, Héctor y Griselle Estrada. Son amigos cercanos que tengo, incluyendo a sus familias. Antes los tenía tan solo como amigos, amigos que nos amábamos mucho, pero ahora todo eso cambió. Ahora los siento como familia porque me demostraron en todo el proceso que se comportaron como familia. Ellos estuvieron ahí todo el tiempo, nunca nos dejaron bajar las manos a mí y a Yessy. Nunca nos dejaron solos.

Siempre estuvieron protegiéndonos, cuidándonos, orando por nosotros; siempre estaban buscando la manera de que estuviéramos bien si necesitábamos algo material.

Los amigos hicieron todo lo posible porque mi tratamiento se llevara a cabo, ya que en aquel momento no tenía plan médico. Fue un tratamiento muy costoso y ellos buscaron la manera de hacer un evento donde la gente hiciera donaciones económicas y pudiéramos pagar el tratamiento. Vimos el esfuerzo que hicieron; sentimos el amor, el apoyo, el cariño.

Tenemos un grupo pequeño o «small group» que siempre se reunía en la casa de los Estrada. A raíz de esta enfermedad los «small groups» se reunían en el hospital. Todos llegaban al hospital, y como yo estaba allí, cambiaron su rutina para acompañarnos. Como yo no podía salir del hospital, hacían comida criolla, comida puertorriqueña y me la llevaban al hospital; hasta hacíamos fiestas. Nunca nos dejaron solos, todos los días teníamos una visita y siempre teníamos esa llamada de video de «¿Cómo estamos?», «Estamos bien».

Siempre estaban pendientes, siempre llegaban al hospital a pesar de que estábamos en el mismo medio de la ciudad de Dallas, ellos viviendo a 40 minutos. Eso es algo que el cáncer me regaló: valorar a mis amigos y estar dispuesto a dar la milla extra por ellos como ellos hicieron conmigo. Dieron la milla extra porque yo sé que cada uno de ellos tiene sus agendas llenas y comprometidas. Sacaban el tiempo para estar con nosotros, sacaban el tiempo para llorar con nosotros, para reír con nosotros, sacaban el tiempo para sentarse allí con su guitarra y hacer sesiones de adoración, adorando a Dios en medio de la prueba.

Eso fue algo que el cáncer me regaló: sentir el apoyo de mis amigos, sentirme amado, valorado, y aprender a valorarlos a ellos. «El hombre que tiene amigos ha de mostrarse amigo; Y amigo hay más unido que un hermano» (Proverbios 18:24).

14

DERRIBAR LAS BARRERAS DEL ORGULLO

«Altivez de ojos, y orgullo de corazón, y pensamiento de impíos, son pecado», dice la Palabra en Proverbios 21:4. Sin embargo, los creyentes no nos vemos como «orgullosos» cuando no queremos aceptar que necesitamos de otros, especialmente cuando se trata de necesitar dinero. No recordamos que el orgullo es pecado.

Nos parece incluso una deshonra admitir que necesitamos la ayuda de otros en cualquier cosa, peor en dinero. Nos sentimos degradados y la crianza cultural puede más en nosotros que la humildad en Dios. Tendemos a disfrazar nuestro orgullo como falsa humildad (contrario a lo que Dios dice). Por situaciones así, pienso yo, pasamos todos en algún momento.

El cáncer me regaló el derribar las barreras del orgullo. Ante mi enfermedad ya no podíamos hacer nada; realmente necesitábamos ayuda económica. Yo nunca pensé estar en un hospital; por eso nunca me preocupé en tener un plan médico. Pero me tocó el momento de llegar a un hospital. Como todos sabemos que los tratamientos de cáncer son muy costosos, la gente comenzó a donar gracias a mi amigo Harold Guerra, que creó una página de *GoFundMe* para que la gente empezara a donar. El pueblo se comenzó a mover.

Tuve que derribar la barrera del orgullo porque realmente necesitaba ayuda económica, y también necesitaba que la gente orara por mí, que se preocupara por mí. Tuvimos que romper las barreras del orgullo, porque Yessy está incluida. Tuvimos que pararnos frente a una cámara para proyectar en las redes sociales lo que estaba ocurriendo, y pedir que oraran por nosotros y que donaran dinero para poder pagar el tratamiento. Eso es romper con la barrera del orgullo.

El cáncer nos regaló dejar de pensar en el qué dirán. Si realmente necesitamos ayuda, necesitamos ayuda. Que la gente nos ayude, nos done, nos apoye, no nos olvide, nos mantengan en sus oraciones. Si no tengo dinero, no tengo dinero.

«Necesitamos que nos ayuden económicamente» fue algo que funcionó. Pude hacer mi tratamiento, pude pasar por el proceso y nos hicieron la carga más liviana. No solamente derribamos la barrera del orgullo, sino que le permitimos al pueblo de Cristo expresarse como nuestros hermanos, según fueron llamados. Les abrimos la puerta a las bendiciones que recibirán por habernos bendecido a nosotros, porque eso es promesa de Dios: «***Bendeciré** a los que te bendijeren* (Génesis 12:3, énfasis añadido).

El pueblo se unió, comenzaron a donar. Celebraron un concierto benéfico en la ciudad de Dallas, otros amigos celebraron otro en la ciudad de Kissimmee, Florida, y la gente comenzó a donar.

El regalo del cáncer: romper con el orgullo y recibir la ayuda, que es lo que nos ha ayudado hasta el momento a sostenernos y a poder pagar el tratamiento. Recuerda: *«Riquezas, honra y vida son la remuneración de la humildad y del temor de Jehová».* (Proverbios 22:4)

15

APRENDER A DESCANSAR

La Palabra de Dios es clara al reflejar varios conceptos de descanso, aunque en una visión más amplia, el descanso es uno.

¿Qué es descanso? Ante todo, es descansar en Él, en que no tenemos que afanarnos porque Él cumplirá todo lo que ha prometido y nos concederá los deseos de nuestro corazón. Esto incluye descanso físico, emocional y espiritual. Descanso físico porque diseñó nuestro cuerpo, templo del Espíritu Santo, para restaurarse continuamente, y su encomienda es que lo cuidemos y saquemos tiempo para descansar. Descanso emocional porque nos repite todo el tiempo «no temas» porque Él está a cargo y el Espíritu Santo es nuestro Ayudador y Consolador.

Nuestra naturaleza humana nos lleva a pretender controlar todas nuestras situaciones. Aunque seamos creyentes y oremos, vivimos con la ilusión de que somos nosotros, en nuestras fuerzas, quienes hacemos ocurrir todo lo que queremos en nuestras vidas. Creemos que si no nos esforzamos más allá de nuestras capacidades, nada va a pasar. Aunque Dios proclamó la importancia del descanso desde la creación, aplazamos y olvidamos descansar. Olvidamos: *«Encomienda a Jehová tu camino, y confía en él; y él hará (Salmo 37:5).*

La enfermedad me obligó a entender que es preciso descansar (y no esperar a que una enfermedad nos haga descansar) y descansar en Él (esperando el cumplimiento del milagro).

Obsérvalo desde el punto de vista de una enfermedad sencilla. Cuando te enfermas, aunque sea una gripe, lo primero que te «receta» el médico es que descanses. ¿Por qué? Porque el cuerpo necesita usar todas sus energías y recursos internos para sanarte y restaurarte. Dios diseñó un cuerpo capaz de sanarse a sí mismo. Si insistes en usar tus energías como si estuvieras bien, tardas en restablecerte y hasta podrías empeorar.

Hay que sacar tiempo para reinventarse, y renovarse físicamente, mentalmente y espiritualmente.

Si no estás enfermo, el descanso te renueva y multiplica tus fuerzas. Yo no sabía descansar.

Por eso *otro regalo que el cáncer me trajo fue el descanso y aprender que tiene que haber un tiempo de descanso.* Mi primer descanso es depender del Señor creyendo, no dudando. Mi otro descanso es que estoy pasando por un tiempo sabático donde no he podido viajar, no he podido trabajar en un año porque he estado pasando por este proceso de quimioterapias. Era algo que yo entiendo que Dios me estaba reclamando hace mucho tiempo: que descansara. Sabes que cuando Dios creó el mundo, lo hizo en seis días y un día lo tomó para descansar.

El descanso físico y el mental son sumamente importantes. Hay que renovar fuerzas, hay que sacar tiempo para simplemente no hacer nada, para descansar. No somos máquinas. Hay que sacar tiempo para reinventarse, y renovarse físicamente, mentalmente y espiritualmente.

Creo que este tiempo de estar 51 días en una camilla, en una habitación de hospital, me dio tiempo para reflexionar y reevaluar mi relación con Dios. Me dio tiempo para crear nuevas ideas, me dio tiempo para escribir nuevas canciones. Me dio tiempo para pensar en hacer este libro y que muchas personas pudieran aprender algo de mi historia, de lo que pude aprender durante el proceso. *El descanso me trajo ideas nuevas, y una nueva visión de descansar en Dios.*

16

VALORAR LA VIDA Y EL TIEMPO

El cáncer me regaló la capacidad de valorar la vida, sus detalles, valorar… ¿Cómo puedo explicar esto? ¡Antes vivía una vida tan apresurada!

Ahora valoro cada detalle porque tengo una nueva oportunidad de vida. Mientras estaba en mi proceso en aquella cama de hospital, escuchaba que otras personas morían por alguna condición de cáncer. Sin embargo, yo tenía la oportunidad de cada día mejorar y mejorar, y valoraba eso.

Van pasando los días, soy libre de toda enfermedad, y cada día valoro más la vida y decido aprovecharla para lo que el Señor me ha llamado a hacer.

El cáncer me regaló, además, la habilidad de valorar el tiempo. ¡Cuánto desperdiciamos algo tan valioso como el tiempo! Y ya Dios hizo provisión para que ocurra cada cosa en su tiempo, como vemos en el libro de Eclesiastés.

Ya Dios hizo provisión para que ocurra cada cosa en su tiempo.

Ahora no quiero que pase un momento sin disfrutar en el Señor, sin llevar Su mensaje. Quiero crear lo que Él me inspira, ayudar a otros, llevar el balance correcto del tiempo en mi vida, pasar tiempo de provecho con mis amigos y los seres que amo, y honrar el tiempo todo aquello a lo que Dios quiere que dedique mi tiempo, como dice su Palabra en el Salmo 1:1-3 (énfasis añadido): *«Bienaventurado el varón que no anduvo en consejo de malos (…) Será como árbol plantado junto a corrientes de aguas, que da su fruto en su* **tiempo,** *y su hoja no cae; y todo lo que hace, prosperará».*

17

SENTIR EL AMOR VERDADERO DE MI ESPOSA

Valoro el tiempo que Yessy estuvo conmigo ahí en ese hospital, los 51 días, deteniendo toda su vida por mí. Lo que prometió en el altar lo cumplió: estar conmigo en salud y también en enfermedad. Sentí su amor verdadero y dedicado, solidario, fuerte, decidido y comprometido conmigo y con mi sanidad.

Vi cómo, desde su amor, se unió a Dios para reforzar todos los detalles que tuvieran un solo objetivo: manifestar mi milagro de sanidad. Oró y dirigió un ejército de oración en cada situación específica. Perseveró en alimentarme correctamente con los jugos verdes (ni el pelo se me cayó) para que mi cuerpo tuviera resistencia al tratamiento. Estuvo al pendiente de todos los que estaban, a su vez, pendientes de nosotros.

Hizo otra estrategia de fe inesperada para mí. No se permitió verme como un enfermo, ni me lo permitió a mí. Habló con el personal del hospital para que yo no usara una bata de hospital mientras estuve allí recibiendo tratamiento. Mi mente no podía pensarme enfermo si vestía ropa mía, aunque cómoda. Entre chistes reforzados de fe, no me permitió decaer, y se interponía entre las palabras negativas que yo pudiera escuchar, y yo.

El cáncer me regaló el no enfocarme en cosas simples, sin importancia.

Aprendí a verla de una manera diferente, y a amarla más allá de lo que ya la amaba antes. ¡Una guerrera resiliente!

El cáncer me regaló valorar el amor determinado de mi esposa.

Un poco relacionado con esto, el cáncer me regaló el no enfocarme en cosas simples, sin importancia. Por otra parte, me regaló la cualidad de valorar las cosas pequeñas de la vida.

A veces como matrimonio uno discute por cosas muy simples, y se pregunta: «¿Realmente estamos peleando por esto? ¿Realmente estamos discutiendo por esto?». Ya no más. Cada vez que viene una molestia leve, pequeña, decimos: «No vale la pena pelear por esta estupidez, por esta simpleza». Hemos decidido valorar todo, disfrutar todo; eso es algo que el cáncer me regaló.

18

APRECIAR EL SOL

Otra cosa que el cáncer me regaló fue a apreciar el sol, la gran fuente de luz que Dios creó. Puede sonar bien como que, «¿Apreciar el sol?». Sí, la realidad es que sí. Estuve 51 días en una habitación de hospital viendo cómo el sol salía, cómo llegaba la tarde, cómo llegaba la noche, y volvía, cómo el sol salía, cómo llegaba la tarde, y cómo llegaba la noche.

A veces vivimos la vida tan agitadamente que no valoramos ciertos detalles, y algo tan lindo y tan importante que es creación de Dios, el sol, lo pasamos por alto e incluso nos quejamos de él. El sol también nos da vida, nos da energía, nos da vitamina, y yo en esos 51 días que estuve en aquella habitación de hospital, tan solo cuatro días tuve la oportunidad de bajar a agarrar el sol de las 10:00 AM, el sol más importante.

Luego cuando salí del hospital, ¡miraba todo tan diferente! El sol lo sentía diferente, lo valoraba tanto, porque estuve tantos días sin poderlo ver, sin poder sentirlo, que para mí es muy importante, cada vez que llega la mañana y sale el sol, y tengo la oportunidad de caminar afuera para ejercitarme.

Disfruto respirar el aire profundo y puro, y sentir los rayos del sol en mí.

Eso fue un regalo del cáncer, valorar el sol, valorar el poder respirar aire limpio, lo que Dios nos ha regalado.

19

SABER QUE MI FAMILIA ESTARÁ BIEN

Otra de las cosas que el cáncer me regaló fue este pensamiento: «No importa lo que me pase a mí, mi familia estará bien. No importa si yo tengo que mudarme al cielo, mi familia va a estar bien». Fue un gran regalo tener esa tranquilidad, saber que Dios tenía todo bajo control: que Yessy, mi esposa, iba a estar bien, iba a echar hacia delante, aunque yo no estuviera; que mi familia, mi mamá, mi papá, mis hermanas, mis sobrinos, mis suegros, todos iban a estar bien aunque yo no estuviera.

Es paz más allá de todo entendimiento humano, fue un regalo del cáncer.

«Echando toda vuestra ansiedad sobre él, porque él tiene cuidado de vosotros» (1 Pedro 5:7).

20

RECIBIR EL CARIÑO DEL PUEBLO

El cáncer me regaló sentir el amor, el cariño que me tiene la gente. A veces pasamos la vida tocando diferentes personas durante muchos años, ya sea con alguna palabra, alguna acción. Uno va tocando diferentes personas por aquí y por allá, en este país, en mi tierra, en el otro país. Vamos ministrando, vamos orando por gente, vamos llevando una palabra de parte de Dios en cada lugar, y no nos damos cuenta de lo que significa sembrar Palabra, amor de Dios, oración, consuelo.

Cuando llega el momento de uno recibir, como en el caso mío, que llegó el momento en que me diagnosticaron la condición, necesitaba fuerzas. Ahí es donde nos damos cuenta de a cuánta gente hemos tocado con el pasar de los años, en los diferentes lugares a donde hemos ido. Ahí es donde vemos cómo cosechamos esa siembra en amor y reciprocidad, porque el pueblo se vuelca en oración y en buenos deseos para mi recuperación.

El cáncer me regaló el conocer y el sentir el amor del pueblo, el amor de la gente, de los hermanos, de mis seguidores a través de las redes sociales.

El cáncer me regaló el tener llamadas telefónicas de gente que hacía años no conectaba con ellos, y restablecer esa relación, esa amistad.

El cáncer me regaló sentir ese amor fraternal de todos esos amigos que por años no nos hablábamos, simplemente por agendas llenas que no nos permitían sacar el tiempo para conectarnos nuevamente.

Ha sido una bendición que me hayan contactado para saber cómo estoy, para orar por mí, para simplemente dejarme saber que soy amado, que somos amados Yessy y yo.

Este es otro de los grandes regalos que el cáncer me obsequió.

PARTE 4

LECCIONES
DE FE

*TENER FE ES LANZARSE A SUS BRAZOS CON TODA
LA CONFIANZA DE QUE ÉL NOS ATRAPARÁ FUERTE
Y NO NOS DEJARÁ CAER.*

EL REGALO
DEL CÁNCER

21

DE LA MANO DE DIOS

por Yetsabel Bernabe (Yessy)

Cuando me dieron la noticia de que Travy tenía un diagnóstico de cáncer, los primeros segundos me sentí *numb* (entumecida), y así estuve un buen tiempo: anestesiada, embobada, en shock, sentí que lo que me estaban diciendo no era real. Sentía la responsabilidad de no derrumbarme porque definitivamente él se estaba sintiendo peor que yo; él me necesitaba. Ese es el momento en que recuerdas que frente al pastor, en el altar, juraste ante Dios estar ahí en salud y en enfermedad. Era esa sensación de que mis emociones en ese momento quedaban en segundo lugar. «Yo necesito estar fuerte porque él está necesitándome hoy, ahora más que nunca.» Eso fue lo que sentí.

A la misma vez me dio mucho miedo la noticia, porque durante años hemos conversado de que si algún día a alguno de los dos nos diagnosticaban cáncer, no aceptaríamos la opción de tener un tratamiento de quimioterapias. Hemos visto amistades y familiares que han pasado por esa dura batalla, lo fuerte que ha sido para ellos y como han terminado.

No queríamos algo así para nosotros. Llegó el miedo de «Nosotros somos los próximos», sin saber lo que Dios tenía para nosotros.

Aparte de eso, la primera vez que nos dijeron un posible diagnóstico, «o es cáncer o es VIH», recuerdo que fui al baño. En el baño tuve un momento así como: «Quiero llorar». Lloré y a la misma vez me dije: «Ponte derecha, ahora métete en el papel que te toca». Soy muy conocida, entre mis amigos cercanos, por decir lo que pienso y a veces hablar sin pensar, y sentí a Dios decirme en aquel momento: «Ten cuidado con lo que vas a decir ahora porque de eso va a depender el resto de lo que viene». Sentí la responsabilidad de que las palabras que yo iba a decir por primera vez tenían un peso.

Recordé lo que dice la Biblia: «*La muerte y la vida están en poder de la* **lengua**» (Proverbios 18:21, énfasis añadido). Lo que vino a mi mente fue: «Esto no tiene sentido». Recordé la experiencia que habíamos tenido con el cerrajero; habíamos aprendido que cuando algo no tiene sentido, Dios está trabajando. Y lo que hice fue rechazar lo que nos estaban diciendo; decir «No» porque recordé las promesas que Dios le había hecho a Travy. Dios me recordó la promesa y me acordé de que la traía grabada en mi teléfono. Le dí *play* a una palabra de profecía que habíamos recibido hacía unos años en un retiro de nuestra iglesia, y recuerdo cómo cambió la cara de Travy de «¿Qué rayos me va a pasar?» a «Es verdad, no me va a pasar nada porque Dios me prometió algo y Él lo va a cumplir».

Nunca pensé, «Dios mío ¿por qué? No lo quiero pasar, líbrame». Pensé: «Si tenemos que pasarlo, igual estamos en las manos de Dios y sabemos que todo lo que nos pasa está controlado por Él. Lo enfrentaremos, pero no nos vamos a morir».

Yo sabía que Travy no se iba a morir porque había promesa sobre él. Sabía que lo que pasaba no tenía sentido porque Dios nos había hablado del futuro muy claramente. Lo que pasaba no encajaba con lo que Dios nos dijo. Teníamos dos opciones, o creer en que era el final o creerle a Dios que era el comienzo de algo que Él estaba haciendo, que no entendíamos de seguro, pero igual Él estaba en control.

Hasta ese punto, así eran mis emociones: un reguero, entre una fe fuerte a un miedo nunca antes experimentado. La mañana siguiente fue otro reto, porque fue cuando me dijeron que solo le quedaban tres semanas de vida. Ya estábamos convencidos, por fe, de que no moriría, pero ahora me están diciendo que sí, que va a morir. El doctor se me acercó y me dijo: «En realidad tres semanas es mucho, él está muriendo, él necesita empezar ese tratamiento ya».

Otra vez tenemos dos opciones: o creo lo que me dicen o le creo a la promesa de Dios. Así que responsablemente decidimos comenzar el tratamiento de quimioterapias, confiando en que Dios estaba con nosotros en el proceso. Esa noche entre transfusiones de sangre y plaquetas le dan la primera quimioterapia, un momento muy irreal para mí. No había tenido tiempo de procesar en calma lo que pasaba.

Pude irme por unas horas al apartamento para bañarme y dormir mientras Harold se quedaba con Travy. Ellos experimentaron el momento sobrenatural de aquel doctor, pero Dios también me tenía un momento especial preparado para mí.

Llegué a la casa ya pasada la 1:00 AM. Con tantas cosas que mi mente estaba procesando desperté muy temprano y allí sola en la cama, comencé a llorar todo lo que no había llorado antes. Me acomodé debajo de las sábanas como una niña pequeña. Sentía mucho miedo. Aquella fe estaba siendo amenazada por la realidad que estábamos viviendo; tenía mucho miedo. Por un momento imaginé la vida sin Travy y fue muy doloroso imaginarlo.

Mientras lloraba sin control debajo de aquella sábana, a las 6:00am escuché el sonido de un mensaje de texto. Agarré el teléfono de inmediato pensando en Travy o Harold, con la preocupación de que hubiera pasado algo en el hospital. Mi teléfono tiene una función para que no entren llamadas o mensajes de texto antes de las 8:30am, a no ser que sean personas que están en mi lista de favoritos. Cuando miré el teléfono era una persona querida que no estaba en mi lista de favoritos. Es una persona que admiro mucho. Yo digo que solo Dios puede hacer una cosa así porque yo puedo esperar un mensaje de texto de muchas personas, pero a lo mejor no de ella directamente con tanta dulzura, porque es una persona de carácter firme y fuerte.

Ella envió un versículo bíblico justo en ese momento que yo no tenía consuelo y estaba sola... este versículo que yo he escuchado y leído miles de veces, pero no en esta versión. Y decía así: «No llores porque yo estoy contigo, no tengas miedo porque yo soy tu Dios, de <u>seguro</u> te voy a ayudar». Yo nunca lo había escuchado de esa forma. Había escuchado algo parecido, pero era tan específico y necesario: «Te voy a sostener con mi mano derecha», y fue como cuando un papá te dice: «Tranquila, tranquila, yo estoy aquí contigo, no llores, no tengas miedo, yo estoy aquí, no te vas a caer, no te va a pasar nada, yo estoy aquí, yo estoy en control de todo esto».

Para mí ese momento fue vital, fueron las instrucciones de Dios, mi Padre, para este proceso.

Fue un momento tan hermoso que hasta me emociona contarlo, porque pude escuchar al Señor directamente hablándome a través de un mensaje de texto, un versículo que hemos leído miles de veces, pero yo sentí su presencia en ese cuarto inmediatamente, diciéndome: «Yo estoy aquí, tú vas a pasar por esto, no será fácil, pero no estás sola, yo te voy ayudar, tú vas a ver y sentir que yo estoy aquí». Como todo un papá sentía que me decía: «No llores, sécate esas lágrimas que te necesito fuerte». Me sequé las lágrimas y dije: «Sí, mi Dios. Yo voy a confiar en ti. Gracias por recordarme que no estoy sola; sé que tú estás agarrándome de tu mano y de seguro me vas a ayudar».

Entonces experimenté lo que tanto me habían enseñado de que el Señor es nuestra paz, que su gozo es nuestra fuerza. Esto es algo que no había experimentado antes.

Ese fue un momento muy especial entre Dios y yo. Hay muchos momentos, pero ese fue el primer momento en el que yo estoy derrumbada, y Él me dice: «No llores, porque yo estoy contigo, no tengas miedo, porque yo soy tu Dios. De seguro te voy a ayudar y te voy a sostener con mi mano derecha».[1] El versículo originalmente estaba en inglés.

De ahí me levanté, agarré ropa para Travy y de inmediato me fui al hospital, llena de nuevas fuerzas. Cuando llegué al hospital le dije a Travy: «Tranquilo, que el Señor está con

---

1   Ver Isaías 41:

nosotros». Mientras esto me pasaba Travy y Harold habían experimentado en la madrugada la buena noticia de aquel doctor, el doctor Smith.

Días más tarde, aún estaba en shock con todo lo que pasaba y lo rápido que pasaban las cosas. Aunque tenía paz, seguía procesando todo lentamente y ajustándome a nuestra nueva realidad. Una mañana, Travy tuvo su primer episodio de vómito. Sentí que desperté de aquel shock, lo miré y dije entre mí: «Rayos, ¿cómo hago para que esto no vuelva a pasar?». Él se puso muy mal, los círculos negros dentro de sus ojos se desfiguraron, parecían una mancha negra regada, todo lo que se supone que fuera blanco estaba rojo, sus capilares se habían roto con la fuerza que hizo al vomitar; como sus plaquetas estaban muy bajas su sangre no coagulaba y por eso fácilmente se rompieron. Las defensas de su cuerpo estaban en cero, cualquier golpe o tropezón podría ser mortal. Era un momento muy peligroso.

Imaginé por un momento que estaba en una montaña rusa gritando desesperada para que ya se detuviera, y Dios agarrándome fuerte me decía: «Tranquila, aquí estoy yo, tú no te preocupes, no tengas miedo».

Recordé entonces que mis fuerzas vienen del Señor, recordé las instrucciones directas que me dio aquella mañana especial. Él dijo que me iba a ayudar, y que me sostenía con su mano derecha. Mientras le pasaba la mano por la espalda a Travy dándole un sobito, levantaba mi mano izquierda sin que él me viera, como diciéndole al Señor: «Tú sabes, Señor, te necesito en este momento, agárrame. Agárrame porque no puedo». Y comencé a sentir otra vez una paz que me inundaba y podía continuar.

Cada vez que yo sentía que mis fuerzas se acababan, cada vez que yo sentía que me quería derrumbar, como en este episodio donde Travy vomitó y otros episodios cuando nos daban noticias que no queríamos escuchar, yo, simplemente recordaba lo que el Señor me dijo, que Él me iba a sostener con su mano derecha. Yo me lo imaginaba al lado mío, Él con su mano derecha sosteniendo mi mano izquierda, así que levantaba mi mano izquierda cada vez que me sentía que necesitaba de su fuerza y de su paz.

Cada mañana poníamos una canción diferente para alabar a Dios, y la manteníamos en repetición todo el día, con el volumen bajo. A la mañana siguiente, después de ese episodio tan difícil, le digo: «Bueno, Travy, ¿cuál es la canción que quieres escuchar hoy?». Él me contestó: «Dios ha sido bueno» de Marcos Witt. Eso a mí me ministró mucho, porque acabábamos de pasar un episodio muy difícil y a la vez estábamos viviendo unos de los peores días de nuestras vidas, ¿y tú me estás diciendo a mí que tú quieres decir, «Dios ha sido bueno»? Yo creo que Dios ha honrado a Travy en muchas formas por eso, porque él está muy claro en ese punto, que no importando lo que estuviésemos viviendo, «Dios ha sido bueno».

Ese y muchos detalles hacen que este proceso haya sido uno súper especial. Estamos agradecidos con el Señor de hoy poder vivir para contarlo, saber que el Señor estaba con nosotros y que en cierta forma a veces, yo digo: «Era un examen y lo pasamos». Nos sentimos honrados de haber podido pasar por este proceso, que solo con Dios se pudo pasar en paz. Él nos dio las fuerzas, alegría, porque hubo muchos momentos de alegría dentro de esa habitación de hospital.

Eso solo se logra cuando tú estás realmente agarrado de la mano de Dios. No hay otra forma, porque es un proceso duro, pero cuando está el Señor contigo y de tu lado de pronto pasan los días y tú dices: «¡Qué rápido ya pasaron tantos días!». Y solo con Él pudo haber sido posible.

Travy estaba en una unidad de cuidado intensivo; sus defensas no existían y tomó semanas que eso volviera a la normalidad. Esas semanas fueron luchas en oración, pedíamos que nos apoyaran en oración de manera específica a través de las redes sociales porque sus defensas no subían y cuando lograban subir, sus plaquetas se mantenían con números muy bajos. Él recibió muchísimas transfusiones de sangre y muchísimas transfusiones de plaquetas. Sus plaquetas estaban muy bajas y su sangre no estaba coagulando. Travy estaba literalmente muriendo. El primer milagro fue llegar al hospital a tiempo. Todo lo que vivimos fue milagroso y sobrenatural.

Cuando pienso en todo lo vivido, solo puedo decir que solo de la mano de Dios pudimos atravesar el proceso. Me recuerda el Salmo 139:5-7 (TLA):

Me tienes rodeado por completo; ¡estoy bajo tu control! ¡Yo no alcanzo a comprender tu admirable conocimiento! ¡Queda fuera de mi alcance! ¡Jamás podría yo alejarme de tu espíritu, o pretender huir de ti!

22

CUENTAS CLARAS CON DIOS, CONTIGO Y CON OTROS

Muchas veces esperamos a que nos digan que tenemos una enfermedad terminal para empezar a ponernos en paz con personas con quienes en algún momento tuvimos algún conflicto o algún roce, ya sea algún familiar o amigos cercanos.

Con frecuencia esperamos el último minuto para ponernos en paz con Dios después de haber vivido una vida desenfrenada, donde hemos echado a Dios a un lado. Cuando nos dicen que tenemos una enfermedad terminal, ahí es donde empezamos a hacer las paces con Dios.

Es importante hacer las paces con todo el mundo y vivir en paz y tranquilidad, pero no tenemos que esperar a que nos digan que tenemos una enfermedad terminal para hacer las paces. Se pueden hacer desde hoy. Desde este preciso momento podemos comenzar a pensar, a analizar con quién tenemos conflictos, y comenzar a arreglar las cosas con esa persona.

Cuando no perdonamos, cuando hay resentimientos, odio, rencor en nuestro corazón, no dormimos tranquilos y eso causa que lleguen enfermedades físicas y emocionales, como había mencionado. Por eso es importante que nuestro corazón esté limpio, y esté en paz con todo el mundo. Cuando nuestro corazón está limpio y está en paz, podemos estar tranquilos y vivir a plenitud. No tenemos que estar preocupándonos. Si nos vamos de este mundo hoy o mañana, todo está bajo control, porque estamos en paz con la gente, y estamos en paz con Dios.

Es importante sacar el tiempo para hacer las paces con los que tengamos que hacer las paces, y vivir una vida a plenitud hasta el momento final. Es esencial que cada uno de nosotros procuremos analizar nuestra vida: ¿Qué es lo que está pasando en nuestra mente? ¿Qué es lo que está pasando en nuestro corazón? ¿Cómo está nuestra relación con Dios? Debemos hacer las paces con Dios para vivir una vida plena hasta el final.

Si llega el momento cuando tenemos que partir de este mundo, todo está bajo control, todo está bien, porque hemos arreglado los asuntos con nuestros familiares, hemos arreglado con nuestras amistades, y hemos arreglado con El más Poderoso, con el que tenemos que estar 100% claros, que es con Dios. Así vas a poder vivir una vida plena y puedes irte tranquilo, sin conflicto. Es importante estar bien con todo el mundo.

Muchas de estas enfermedades emocionales, como estrés, rencor, resentimiento, odio, son síntomas psicológicos que pueden atraer el cáncer. No hay suficiente evidencia científica de que el estrés y la falta de perdón sean causas directas del cáncer, pero sí hay evidencia de que el estrés excesivo, los problemas emocionales y otros desbalances sicológicos produzcan conductas que sí pueden ser causas directas del cáncer o aumenten la posibilidad de que ocurra esta enfermedad.

Probablemente hoy día estés pasando por un estrés tremendo, por un resentimiento, por un odio, por un rencor, y no significa que ya mañana vas a tener cáncer. Eso se sigue acumulando en tu sistema, se sigue acumulando en tu corazón, se sigue acumulando en tu cuerpo, y puede tardar hasta 25 a 30 años para que se refleje la enfermedad, de todo el resentimiento que tuviste en el pasado, y que intentaste manejar con conductas que te fueron llevando a padecer de cáncer.[1]

Si llegas a padecer de cáncer, el manejo de las emociones negativas es crucial para enfrentar los tratamientos de la enfermedad.

La tristeza también es parte de este tipo de enfermedades emocionales. Por eso hay que procurar tener un corazón alegre; hay que procurar estar bien con el prójimo, bien con todos, para no tener que llegar a lamentar en unos cuantos años.

Haz un análisis. Pídele a Dios, pídele al Espíritu Santo que traiga a tu memoria, que te recuerde a las personas con quienes debes comunicarte para arreglar alguna situación del pasado. Piensa en algún disgusto, algo que está muy latente en tu corazón, que aunque hayan pasado muchos años, esa

---

1   Consulta en línea. https://www.cancer.gov/about-cancer/coping/feelings/stress-fact-sheet

herida sigue abierta, sigues sintiendo el dolor, sigues sintiendo el rencor, el odio contra alguien.

Toma la oportunidad, toma un tiempo y arregla cuentas con quienes tengas que arreglar cuentas, y sobre todo, arregla cuentas con Dios, para que tu corazón esté en paz, esté en tranquilidad y comiences a vivir una vida diferente desde este punto en adelante.

Da el paso de fe, ten una mente optimista, siempre pensando que la voluntad de Dios es perfecta, porque Él quiere lo mejor para ti.

Si en medio de cualquier enfermedad que puedas estar pasando, Dios tiene la misericordia o el placer de sanarte, es una bendición y tu corazón ya está sano. Si llega el momento de partir de este mundo y mudarte al cielo, vete con un corazón limpio, un corazón donde hayas arreglado cuentas primero con Dios y luego con la gente, para que puedas tener esa oportunidad y no haya ninguna situación pendiente al momento de ir al cielo.

Luego de que arregles cuentas con todos los que tengas que arreglar cuentas, si no has dado el paso de fe, de aceptar a Jesús como tu salvador como el dueño de tu vida, como el capitán de tu barco, esta es la oportunidad para arreglar cuentas con Él, y que de hoy en adelante comiences a vivir una vida diferente. Puedes simplemente repetir lo que estás leyendo en este momento.

Señor Jesús, te entrego mi vida, y te acepto como mi único y exclusivo Salvador. Escribe mi nombre en el libro de la vida, borra cada uno de mis pecados. De hoy en adelante mi vida te pertenece a ti.

Cuando haces esa oración, el Espíritu Santo de Dios automáticamente comienza a morar en tu corazón. Para que el Espíritu Santo de Dios pueda vivir en tu corazón, tu corazón tiene que estar limpio. Por eso te recomiendo que arregles cuentas con todos, para que el Espíritu Santo pueda vivir tranquilamente dentro de ti.

Da el paso de fe, ten una mente optimista, siempre pensando que la voluntad de Dios es perfecta, porque Él quiere lo mejor para ti.

Si vas a continuar en este mundo, vivir en Cristo es una bendición. Si es el momento de mudarte al cielo, es otra gran bendición. Para todos los que aceptamos a Jesús como Salvador, nuestra meta es ganar la carrera; llegar al reino de los cielos.

23

ME MANTUVE TRABAJANDO

«Jesús le dijo: Si puedes creer, al que cree todo le es posible. E inmediatamente el padre del muchacho clamó y dijo: **Creo; ayuda mi incredulidad***»* (Marcos 9:23-24, énfasis añadido).

El padre del muchacho creía, pero tenía dudas. A veces pensamos que si dudamos, el milagro no va a ocurrir. Te conté que yo tuve lo que llamo «flashes» de dudas, pero me mantuve creyendo y actuando en contra de todo diagnóstico y pronóstico.

A pesar de todo lo que ocurría en términos médicos, estando en aquella camilla, mi mente insistía en pensar: «Yo estoy bien. Yo tengo que seguir trabajando, tengo que seguir produciendo porque yo voy a salir de esto y tengo que seguir trabajando en lo que es la música». Yo tenía unas canciones ya grabadas y unos videos a punto de lanzarse, y tenía una computadora en mi habitación y mi teléfono.

Desde aquella camilla empecé a activar a todo el mundo. Saqué en febrero del 2019 una canción que se titula *A tu manera*. Esa fue la primera canción en la que le dije a Dios: «Vamos a hacer las cosas a tu manera». No pude hacer gira, no pude hacer nada porque caí en el hospital. La canción solo fue lanzada en YouTube y en las tiendas digitales, y no pude hacer nada más.

Hice una remezcla, un remix de esa canción. Es la misma canción donde añadí diferentes colegas de la música urbana. Añadí un colega que se llama Musiko, otro que se llama Jay Kalyl, uno que se llama Leo El Poeta y el otro Jaydan. Grabamos la misma canción. Ya la había grabado en el estudio antes de caer en el hospital, tenía todo listo para la mezcla, pero no tenía el videoclip.

Había grabado mi parte del videoclip y me dije: «Yo estoy aquí en el hospital»… Pero mandé a todos los muchachos a que con sus teléfonos celulares se grabaran donde estuvieran. Musiko estaba de gira en Guatemala, allá consiguió una cámara y se grabó. Leo estaba en Lakeland, allá en Florida, con su teléfono se grabó. Y Jaydan allá en Puerto Rico se grabó. Les dije: «Envíenme al e-mail todos sus videos, todos sus pietajes».

Contraté un editor en El Salvador, que es el editor que le maneja las redes sociales a Christine D'Clario. Él me editó el video, y todo eso lo hicimos con nuestros teléfonos, yo estando en la camilla del hospital. Lanzamos el video y lo subimos a YouTube. Yo no tuve que salir. Hoy día el video tiene más de 1.300.000 vistas hasta este momento.

Me negué a recibir todo lo que dicen que conllevan el cáncer y su tratamiento. Seguí creando y trabajando. Lo mismo pasó con otro sencillo que se llama *Soy*, que está en YouTube. Yo tenía planificado viajar a Cuba para grabar ese video. Tenía los boletos aéreos, estaba listo, la fecha estaba separada, todo el equipo en Cuba estaba separado. Era una colaboración con un grupo llamado Alfa allá en Cuba, y caí en el hospital. Yo dije: «Obviamente no puedo ir a Cuba a grabar el video, pero los muchachos están listos».

Les escribí por WhatsApp, diciéndoles: «Bueno, muchachos, sigan en plan como si yo estuviera. Graben las partes del video allá, que cuando me recupere yo me encargo de grabar mis partes acá y le damos con todo. El plan sigue. No se desmotiven, que el plan sigue». Era la primera vez que estos muchachos iban a salir en un video. Yo les estaba dando la oportunidad, la plataforma para que se dieran a conocer acá.

Tan pronto me dieron de alta en el hospital, que ya me sentía bien, lo primero que hice fue buscar a un hombre que graba videos aquí en Dallas: Eli Acuña. Grabé mis partes del video, las editamos, y quedó como si yo hubiera estado con ellos allá en Cuba. El video está en YouTube. Ahora mismo en YouTube tiene como 300.000 vistas. ¡Lo logramos!

Lo que quiero enseñar con esto es que no me rendí. No porque estaba acostado en aquella camilla dije: «Ay, estoy enfermo, no se puede hacer nada, todo terminó». Tampoco lo puse en pausa ni en compás de espera, no. Yo seguí trabajando normal, como que aquí no ha pasado nada. Actué como si simplemente me hubieran dicho: «Tienes que descansar». Y estaba descansando de viajar, descansando en el Señor, pero en mi camilla yo tenía mi computadora y mi teléfono, y estaba haciendo todos los movimientos como si nada, para llevar a cabo el plan como había estado establecido desde un principio.

Yo dije también: «Cuando salga de aquí tengo que trabajar, tengo que tener un repertorio de canciones que por lo menos la gente conozca. Tengo que seguir lanzando canciones, al menos las que ya estaban grabadas, y seguir con el plan». Eso fue lo que hice. Seguí trabajando desde el hospital. *Nunca me creí que estaba enfermo; me creí y me supe sano en Dios.*

AFIRMACIÓN EN ACUERDO

Yessy me hizo un gran favor que me ayudó a seguirme viendo sano. Me motivaba a que yo me moviera con mi máquina, yo mismo arrastrándola. Mi cuñado decía: «Oye, pero Yessy, ¿tú no lo vas a ayudar?». Ella contestaba: «Tranquilo, él no está enfermo, él puede hacerlo». Él comentaba: «Oye, pero qué fuerte tú eres con él», y ella respondía: «Si yo le hago las cosas y le hago creer que él está enfermo, así mismo va a ser; se va a enfermar. Él puede ir al baño arrastrando la maquinita con las ruedas».

> **Nunca me creí que estaba enfermo; me creí y me supe sano en Dios.**

Todo el tiempo yo me llevaba la máquina, y Yessy estaba al lado mío, pero ella hacía que yo lo hiciera para ayudarme, diciéndome: «Tú puedes lograrlo», «Tú puedes arrastrar la máquina». Yo estaba recibiendo quimioterapia y tenía puesto el suero todo el tiempo. Y sí podía. Gracias a Dios se lo agradezco, porque nunca me creí que estaba enfermo.

CUIDAR DETALLES QUE HABLEN FE

Algo más que me ayudó a no creerme enfermo, fue la ropa. El primer día cuando llegué al primer hospital que me dijeron que tenía VIH o cáncer, ahí me pusieron la bata de hospital. Cuando me trasladaron al otro hospital ese primer día también me la pusieron, pero después Yessy habló con las enfermeras y les dijo que yo no iba a usar la bata, que ella no quería que yo me viera como un enfermo cualquiera.

A veces caminaba por los pasillos para no estar todo el tiempo acostado, me llevaba la máquina, veía a los demás pacientes con la bata y yo era el único en ropa normal. Yo no sabía lo que Yessy había hecho y ella me dijo: «Oye, ¿te diste cuenta que tú no usaste bata de hospital en la habitación?». Yo dije: «Oye, sí. ¿Por qué?». Ella me contó: «Porque yo hablé con las enfermeras y no permití que te pusieran esa bata. Yo no quería que tú te vieras como un enfermo; tú estás bien». Eso fue también una buena estrategia que me ayudó a no mirarme enfermo y a creer que estaba sano.

LA CIENCIA DE LA FE

Estas estrategias que yo considero lecciones de fe me traen a los hallazgos de científicos, unos cristianos, otros judíos, otros seculares, que han producido evidencia de la función de la mente en la sanidad dirigida por Dios. El doctor Andrew Newberg, desde sus doce años, vivía intrigado por la relación entre el cerebro humano y su Creador. Fue uno de los primeros científicos en probar a través de exámenes de resonancia magnética del cerebro, los efectos de la oración, la mención de la palabra «Dios» y las creencias cristianas, y orar en lenguas. Vio también en esos exámenes el efecto de la oración a distancia dentro del cerebro.[1]

La Dra. Caroline Leaf, neurocientífica cristiana, estudió durante más de 30 años la neuroelasticidad del cerebro, cómo los pensamientos y su equivalente en la Palabra de Dios

---

1   Andrew Newberg M.D y Mark Robert Waldman, How God Changes Your Brain: Breakthrough Findings from a Leading Neuroscientist, Marzo 2010, Ballantine Books.

¡Tenemos que creer en Él y creerle a Él! Dios y solamente Dios tiene el control.

literalmente cambian la configuración del cerebro, incluso influyendo en la sanidad del cuerpo y de la mente misma.[2] Gracias a Dios y su «alambrado» que nos conecta a Él, podemos influir en nuestra sanidad con nuestros pensamientos.

Nuestra mente es de Dios. Nuestro espíritu la dirige y tenemos que ponerla de acuerdo con lo que dice la Palabra. Dios se ha ocupado de que todos crean trayendo personas a mostrar evidencia científica para aquellos a quienes se les hace difícil creer. ¡Tenemos que creer en Él y creerle a Él! Dios y solamente Dios tiene el control.

---

2   Leaf, Caroline, Piensa, aprende y ten éxito, Whitaker House, 2019

24

CREER POR ENCIMA DE LO QUE VES

Dios nos dio el regalo de la mente para que la tengamos alineada al espíritu, como expliqué antes. Otra estrategia de fe que usé con fuerza y consistencia fue mi mente, en el acuerdo poderoso con mi espíritu sobre lo que pedíamos y esperábamos del Señor. Ya te expliqué algunas formas prácticas en las que usé mi mente para mantenerme en fe, pero este fue un esfuerzo en sí mismo porque fueron 51 días y por momentos hubo lucha.

Yo sé que en situaciones tan graves, cuando día a día ves y vives una enfermedad, esta actitud que yo asumí puede ser cuesta arriba para las personas. Para personas que les diagnostiquen un cáncer catastrófico, como un cáncer de páncreas, la mente juega un papel muy importante; pero es un instrumento divino. Tenemos que creer también con nuestra mente.

La realidad es que yo me mantuve positivo creyendo que Dios me iba a sanar y que iba a estar conmigo en el proceso.

Me aferré a las promesas de Él, y me agarré de lo que Dios había prometido sobre mi vida y no se había cumplido. Yo dije: «Si no se han cumplido es porque obviamente habrá un tiempo cuando se cumplan, porque cuando Dios promete algo Él lo cumple, Él no se arrepiente». Yo estaba esperanzado en que: «Esto es un proceso. Estoy seguro de que va a pasar y voy a estar bien».

Es bien importante que sepamos que tuve dudas en medio del camino, cuando los números no mejoraban y ya llevaba 15, 20 días en tratamiento y oración. Eran transfusiones de sangre, de plaquetas, y mi mente dudó un momento: «¿Realmente esto va a funcionar? ¿Por qué los números no suben?».

Me lo dije a mí mismo, y creo que en una ocasión se lo comenté a Yessy: «Oye, ¿tú no crees que es raro que los números no suban?». Esas cosas pasan como «flashes», llegan de momento, pero otra vez volvía a recordar que Dios tenía algo conmigo, y que esa enfermedad era tan solo una experiencia que yo estaba viviendo. Algo que me ayudó mucho fue una persona que había pasado por la misma leucemia que me habían diagnosticado, y llegó allí.

Era un señor mayor y llegó allí a hablar conmigo para darme ánimo. Yo le pregunté: «¿En el tratamiento no se te dañó ningún órgano?». «No», me respondió. «¿Cuánto tiempo ya llevas fuera de la leucemia?». «Seis años». No tuvo problemas en ningún órgano. Saber eso me ayudó a fortalecerme más; eso de que llevara sano seis años y estuviera allí dándome ánimo. Él coincidió conmigo cuando me dijo: «Ahora yo veo la vida de otra manera». Yo decía: «Eso mismo pienso yo».

Me ayudó mucho tener personas que llegaran allí a compartir sus experiencias y verlos bien; eso me daba ánimo. Llamó otra muchacha que vivía en otro estado, que pasó por lo mismo que yo. Ella me dio su impresión. En el caso de ella su pelo se puso bien finito, pero no le pasó nada peor que eso. Todos esos testimonios me ayudaron a mantenerme en fe.

En el hospital Baylor, donde estuve en el pueblo de Dallas, había un departamento de enfermeras que nos daban orientación de qué iba a pasar después que saliéramos del hospital y qué tenía que velar. Una de las preguntas que yo le hice fue qué pasaba si el tratamiento no funcionaba y volvía la enfermedad.

Una de ellas dijo: «Eso puede pasar, hay que estar bien pendiente, porque eso puede atentar contra tu vida». Básicamente es que si vuelve, va a ser duro trabajarlo. Eso me dio un frío por dentro. «¿Realmente este tratamiento va a funcionar?», me volví a preguntar. Otra vez dudé, pero solo fue un «flash».

Nuevamente volví a recordar las promesas y a mantener mi mente positiva. Vinieron en ciertas ocasiones esos «flashazos» que duraban horas nada más, no duraban ni un día, y volvía otra vez a vivir con la confianza y la certeza de que iba a salir victorioso de este asunto.

25

PUNTO SIN RETORNO

Un día que los resultados de los laboratorios estaban muy bajos, llegó Coalo (Zamorano). Él fue muchos días, pero fue un día en específico cuando estaba leyendo la Biblia en su casa, y leyó un pasaje bíblico que dice: «(…) *sobre los enfermos pondrán sus manos, y sanarán*» (Marcos 16:18). Él sintió en su ser: «Cree, cree en esto y Dios va a hacer la obra». Coalo llegó al hospital ese día solo para imponerme sus manos. Él había ido ya a cada rato, nos visitaba y nos llevaba comida. Ese día fue con una convicción y una seguridad de que cuando él orara por mí todo iba a mejorar. Precisamente aquel día había llegado al punto donde el conteo de plaquetas se estancó y no subían de número. Estábamos preocupados porque habíamos esperado un aumento, una mejoría, y no ocurrió.

Llega Coalo con ese texto bíblico y me lo lee. Mientras lo estaba leyendo, estaba Yessy allí, a Coalo empezaron a salírsele las lágrimas. Él estaba muy convencido de lo que estaba leyendo, de lo que iba a hacer, y del resultado de lo que iba a hacer. Mis amigos siempre iban a orar por mí, pero oraban alrededor de la camilla. Ese día Coalo dijo: «Voy a hacer algo diferente, voy a orar, pero voy a imponer manos sobre ti».

Puso sus manos sobre mí y comenzó a orar con una fe tremenda, bien convencido, con sus lágrimas bajándole. Cuando terminó de orar, me dijo: «Yo me voy porque tengo que salir de viaje. Esto que estoy haciendo contigo voy a comenzar a aplicarlo de ahora en adelante en esta gira que voy a tener en Argentina».

Él se fue. Al día siguiente, cuando me hicieron nuevamente las pruebas de laboratorio, ¡los resultados habían subido! Alcanzaron un nivel tan alto que quedé admirado. Me dije: ¡Wao, Coalo vino creyendo!

Obviamente todos creímos con él, porque estaba leyendo el pasaje bíblico con toda su pasión. Se le salieron las lágrimas mientras lo leía. Oró con una seguridad y una fe de «Yo voy a orar y esto va a pasar». Pasó; las plaquetas subieron. Le envié un texto a Coalo con el número de plaquetas, para que viera en cuánto subieron, y él dijo: «Oh, wao». Quedó sorprendido.

Él lo compartió allá en su gira: «Hey, acabo de recibir una noticia. Oré por Travy ayer y esto fue lo que pasó, sus números empezaron a cambiar». Él comenzó a aplicar el principio y el versículo desde aquel momento adelante en todos sus eventos, y a orar por sanidad creyendo en un milagro. En una de sus presentaciones allá en Argentina oró por una señora que se sanó de una condición que tenía. Él comenzó a creer firmemente en que si él oraba por sanidad, la gente sanaría.

Este fue el punto sin retorno para mi mejoría continua. De ese punto en adelante mis plaquetas comenzaron a subir; nunca volvieron atrás. Todo el tiempo iban en alzada hasta que llegó el punto donde me dieron de alta. Imponer manos realmente tiene un significado grande, y como dice la Palabra: «*Pondrán sus manos sobre los enfermos, y ellos sanarán*» (Marcos 16:18, NTV).

Eso fue lo que hizo Coalo y hubo un cambio. Hubo una gran mejoría y todos los días yo le informaba a él. Él seguía celebrando allá en Argentina. Después se fue para México, y en México siguió celebrando. Le contó nuestra historia a todo el mundo; estaba contento. Dios lo estaba usando para mi recuperación.

26

MEJORÍA CONSISTENTE

Ya no eran 28 días; serían 51 días. Sin embargo, los números de las plaquetas mejoraban consistentemente, aunque lentamente. Nunca más volvieron a bajar. Faltaba que mis defensas subieran con igual consistencia.

Los 51 días fueron una campaña de oración y alabanza sostenidas, orando todos los días e intercediendo por resultados específicos, creyendo en que la condición seguiría mejorando. Empezábamos a adorar con música tan pronto me despertaban para sacarme la sangre, y orábamos con fe esperando los resultados.

Involucrábamos a la gente para orar y continuábamos informando. Había días que no informábamos y nos escribían: «Hey, ¿qué está pasando que no vemos un *update*?», «¿Por qué quieren que oremos?». Nosotros leíamos esos comentarios, eran demasiados, muchos. En ocasiones Yessy y yo nos deteníamos a contar cómo me estaba sintiendo y seguía enfatizando en que: «No dejen de orar, sigan orando por nosotros».

Como decía al principio de este capítulo, el plan inicial de los médicos era salir a los 28 días, pues ese era el tiempo que duraría el tratamiento. Pero mi condición era muy fuerte. Por eso se extendió a 51 días.

Las plaquetas empezaron a llegar a los números donde tenían que estar, pero mis defensas no subían. Entonces no me podía exponer a salir a la calle con las defensas bajas porque me podía exponer a agarrar cualquier partícula del ambiente y volver a caer en el hospital.

Ellos prefirieron que mis defensas estuvieran arriba para poder darme de alta. Llegó un punto cuando me pregunté: «¿Realmente me mejoraré?». Subía y bajaba mi hemoglobina y me daban transfusiones de sangre, y yo de momento no veía mejoría estable rápida. Pero las oraciones del pueblo, obviamente Dios escuchando el ejército de oración, empezaban a cambiar el diagnóstico.

Cuando estamos atravesando pruebas difíciles y dolorosas debemos hacer una pausa a todo lo que estemos haciendo para dedicarnos a desahogarnos con el Padre. Es importante decirle a Dios cómo nos estamos sintiendo, cuáles son nuestras preocupaciones, cuáles son nuestras luchas. Él nos escuchará y como Él quiere lo mejor para nosotros, comenzará a poner todo en orden para que no estemos preocupados, y podamos vencer y superar cada obstáculo que haya llegado a nuestra vida.

Lo que decían los médicos

Aparte de un monitoreo médico continuo, los médicos eran bien neutrales. Nosotros les dejábamos saber que estábamos en las manos de Dios, pero ellos no le daban crédito a Él. De hecho, mi habitación estaba repleta de papeles por todas las paredes con los diferentes nombres de Dios y diferentes textos bíblicos, y ellos eran conscientes de que nosotros somos creyentes.

Nosotros le atribuíamos a Dios todo el crédito. Ellos pensaban que su tratamiento estaba funcionando. Venían a celebrar: «Tenemos buenas noticias», «Los números son...», y nos decían los números. No decían, «Gracias a Dios tus números están» o «¡Qué bueno!». Sí decían: «Sigan haciendo lo que estén haciendo. Lo que estén haciendo está funcionando». Se referían a los jugos verdes y tal vez a las oraciones.

Volvían y decían, «De esta vas a salir» y «Hay buenas noticias». Uno de los médicos dijo en una ocasión: «Tú te irás a morir en algún momento de algo, de otra cosa, pero de esto no va a ser. De leucemia no va a ser. Te morirás en un par de años, lo que sea, en un momento dado, pero de esto no va a ser».

Eso nos ayudaba porque todos esos médicos tenían esa seguridad de que estaba funcionando el tratamiento. Nos dijeron que antes del 2013 la gente vivía como máximo un año con la leucemia que me diagnosticaron y luego morían, hasta que descubrieron el tratamiento. Entonces sobrevive entre el 95% al 98%. Yo me creí que estaba dentro de ese 95% a 98%.

27

El día 51
UNA VIDA NUEVA

Y llegó el día 51. Yessy y yo teníamos guardados dos kits de elementos de Santa Cena que nos trajo George, uno de los pastores del campus de Dallas de nuestra iglesia Gateway. Nosotros decidimos guardarlos para esperar el último día y tomar la Santa Cena dentro de la habitación de hospital como un acto de agradecimiento a Dios por el tiempo que estuvo con nosotros durante ese proceso de 51 días.

Antes de tomar la Santa Cena oramos agradeciéndole a Dios por lo bueno que fue con nosotros, porque el tratamiento durante ese tiempo de hospital funcionó, por todo lo bueno que vivimos dentro de aquella habitación. Yessy dijo: «Voy a extrañar esta habitación», ya que fue testimonio del ejercicio de una inmensa fe. Yo no, yo no querría volver a esa habitación, pero tampoco fue un mal momento el que viví allí. Estamos agradecidos de cómo Dios se glorificó en aquella habitación; sentimos Su Presencia allí.

Como un acto de cerrar ese capítulo, nos tomamos esa Santa Cena y agradecimos a Dios por lo bueno que fue con nosotros, por lo buenas que fueron las enfermeras, los

doctores. Pudimos conocer a todo el equipo de doctores
y enfermeros en todos los turnos. Yessy fue a Walgreen's,
imprimió una foto de nosotros con un mensaje de «Thank
you» («Gracias») para cada uno de los que nos atendieron.
Algunos decían: «Ay, qué buen detalle, qué bonito detalle.
Lo voy a colocar en mi casillero». Con ese gesto, cerramos
un capítulo en ese hospital.

Le tomé una foto y un video a la camilla vacía para tenerlos
como récord de que ya no estoy ahí. Nos dirigimos a salir
y seguí caminando a la camioneta, y cuando iba ya de camino a casa veía todo diferente. Fueron 51 días que no veía
la carretera, 51 días que no veía los carros, la gente, el sol
brillante.

Estoy en la calle, estoy en la libre comunidad, como cuando
un confinado sale de la prisión, que todo lo aprecia, lo ve
diferente. Respiraba el aire y no el aire acondicionado de la
habitación, sino el aire fresco de afuera. Todo lo veía diferente, el sol, el cielo azul, las nubes, todo lo contemplaba.
Porque yo sabía que estaba viviendo un milagro, todos los
días era un regalo, todos los días era un milagro diferente.

Tengo vida después que me dijeron que iba a morir, que
como máximo tenía tan solo tres semanas de vida. Fue
algo bonito ese momento de salir de allí y reincorporarme
básicamente a llegar a mi casa, a estar acostado en mi cama
viendo programas de televisión que me gustan, comiendo
comida casera, comida criolla, no la comida del hospital o
de algún restaurante.

A mí me gusta la cocina y quería preparar mis propios pla-
tillos, preparar la comida que a Yessy le gusta. No llegué a
acostarme a dormir ni a estar tirado en la cama como, «Ay,

estuve enfermo, dame *break*», no. Yo quería estar activo, quería cocinar, quería vivir una vida normal como siempre.

Una de las cosas que hice fue ir al gimnasio; tenemos un gimnasio en nuestro complejo. Fueron 51 días sin mover mis músculos y quería reincorporarme. Comencé a hacer ejercicios, por lo menos cardiovasculares para reponerme y tener otra vez la agilidad que había perdido por estar tantos días acostado en una camilla. Así fue el proceso.

28

UNCIÓN DE SANIDAD

Cuando viajo a cantar y a ministrar, desde antes de que apareciera esta enfermedad hago llamados de sanidad creyendo por un milagro que Dios puede hacer en la gente. Estuve en Argentina en una gira y una señora estaba sorda de un oído y oré por ella. Al momento no supe nada, pero luego regresé de Argentina y me llegó la noticia de que la señora estaba sana, que estaba escuchando por ese oído.

En estos días, hace como tres semanas me llegó la noticia de la última gira que hice en Argentina el año pasado. Me llamó mi coordinador de allá. Había orado por un niño que estaba entubado en la Unidad de Cuidado Intensivo de un hospital. Era un bebé de dos años. No le aseguraban la vida. Los papás estaban desesperados en el evento donde yo estaba, y cuando se acabó la presentación ellos se me acercaron y me los llevé aparte.

Nos paramos al lado del carro de ellos, y yo les dije: «Cuéntenme qué es lo que está pasando con el nene». Estaban desesperados llorando. Comencé a orar por ellos, comencé a orar por el nene; el nene estaba en el hospital. Oré creyendo por la sanidad de aquel niño. Decían que si no salía de ese estado de coma, moría. Comencé a orar creyendo con ellos, y con una seguridad de que Dios lo iba a sanar.

Mi coordinador regresó a esa ciudad, Córdoba, Argentina, coordinando un evento con otra cantante en ese mismo lugar. Se encuentra a los papás del niño y ahí le dan la noticia, que el niño está bien; Dios lo sanó. Dicen que cuando Dios te sana, tienes el don de orar por sanidad, y Dios te va a respaldar. Yo creo en eso.

Cuando oro, lo hago creyendo que Dios lo va a hacer, confiando 100% en Él, y luego cuando me voy del lugar le digo al Señor: «Señor, ya oré, necesito que tú me respaldes, que tú hagas la obra. Necesito que haya buenas noticias, que alguien me informe que el milagro ocurrió».

No hace mucho aquí en Dallas mis amigos prepararon un evento para recaudar fondos para mi tratamiento. Entre el público había una madre sufriendo porque su bebé de un año tenía unos tumores por el lado de la garganta notoriamente inflamados. Oré por el bebé, aunque él no estaba allí. A través del teléfono su mamá me estaba mostrando su foto. Luego visité inesperadamente el concierto de mis amigos Redimi2 y Alex Zurdo, y alguien me tocó el hombro. Para mi sorpresa era la madre de aquel bebé y me dijo: «¿Te acuerdas del niño por el que oraste en el concierto que hicieron para ti?». Yo rápido lo recordé, le dije que sí y ella continuó diciendo: «Pues mira, yo quiero decirte que él está totalmente sano, no tiene ya los tumores». En mi felicidad y mi sorpresa, solo pude decir: ¡Wao! ¡Gloria a Dios! Esa fue una gran noticia para mí. Saber que pudimos ser instrumento de oración me llena de gozo.

«Te bendeciré, y engrandeceré tu nombre, y serás bendición» (Génesis 12:2, énfasis añadido).

EL GRAN FINAL

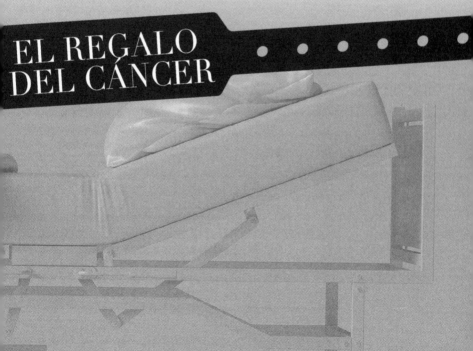

EL REGALO
DEL CÁNCER

20 de diciembre de 2019 y 5 de febrero de 2020

DECLARADO SANO POR LA CIENCIA

El 20 de diciembre del 2019 oficialmente terminé mi tratamiento de quimioterapias. Ese fue el último día de tratamiento ambulatorio de las 28 semanas posteriores a los 51 días de tratamiento en el hospital. Esa mañana nos despertamos como de costumbre, contentos y agradecidos porque ya era el final de mi tratamiento.

Yessy me acompañó, junto a nuestro sobrino Henry que llegó desde Puerto Rico a pasar sus vacaciones navideñas con nosotros. Nos montamos en la camioneta e íbamos de camino a la clínica agradeciéndole a Dios por lo bueno que fue con nosotros durante todo ese proceso. Escuchábamos una canción de Yadira Coradín titulada *He visto Su gloria*.

Esa canción tiene una letra que describe lo que habíamos vivido e hizo que las lágrimas salieran de nuestros ojos. Íbamos por todo el camino agradeciéndole a Dios por lo bueno que ha sido y porque realmente habíamos visto su gloria en medio de este proceso.

La media hora que duró el viaje hasta llegar a la clínica, veníamos solamente agradeciéndole a Dios y hablando con Él para que los resultados finales fueran alentadores.

Cuando llegamos a la clínica, como de costumbre me senté en la silla donde por las pasadas 28 semanas me había sentado. La enfermera me recibió. Mientras me conectaba a la quimioterapia me decía: «Hey, José, hoy es tu último día, ¿cómo te sientes?». Yo le contesté: «Muy contento de que sea el final. Realmente estoy agradecido». Las demás enfermeras que me pasaban por el lado me preguntaban lo mismo: «José, llegó el final de tu tratamiento (con aplausos). ¿Cómo te sientes?». Y nuevamente con una sonrisa de lado a lado contesté: «Estoy muy contento, agradecido».

En medio de mi tratamiento final llegó mi amigo Daniel Calveti con su guitarra. Él estaba acompañándome porque quería ser parte de ese momento tan especial para nosotros. Cuando pasaron las dos horas de tratamiento, la enfermera me va desconectando de la máquina y todos allí estaban muy pendientes al momento final, el momento de caminar hacia la campana.

Para los que han terminado un tratamiento de quimioterapia tocar la campana es algo muy simbólico. Eso significa que ya se acabó todo el tratamiento, que ya no tienes que volver a tomar ninguna quimioterapia. Es el momento que todo paciente de cáncer espera.

Ese momento es algo muy especial. Hasta allí llegó mi amigo Eli Acuña. Él es la persona encargada de grabar la mayoría de los videos que ustedes ven en mis redes sociales y algunos de mis videos musicales. Llegó allí para documentar el momento, grabarlo y tenerlo como evidencia para testimonio de lo que Dios ha hecho en mi vida.

Cuando llegó ese momento especial de tocar la campana, mi amigo Daniel me sorprendió cantando frente a todos la canción *Creo en ti*. Es una canción escrita por Julio Melgar, que me ministra muchísimo. Yessy lo sabía y por eso le pidió a Daniel que la cantara.

El lugar se convirtió en un altar de adoración. A pesar de que muchos de los pacientes que estaban allí son de diferentes religiones y hablan diferentes idiomas, estaban adorando a Dios sin importar que Daniel estaba cantando en español. La presencia de Dios se sentía muy fuerte en aquel lugar. Todos los que estaban allí estaban conectados en un mismo sentir, ¡estaban adorando!

La gran mayoría de los doctores son musulmanes y todos estaban en reverencia adorando a Dios. Lo que mis ojos vieron fue algo muy especial.

Las 28 semanas que estuve allí vi a personas tocar la campana, pero simplemente la tocaban y todos aplaudíamos, y luego ellos seguían caminando yéndose de la clínica. Noté que este 20 de diciembre fue algo muy diferente. Nos detuvimos a adorar a Dios frente a la campana por lo bueno que ha sido. Escuchábamos algunos de los pacientes cantar *Creo en ti;* ellos tenían esa fe de creer en Dios, de creer que Él lo hará, de creer que Él está con ellos en medio de ese duro proceso.

Yessy comenzó a orar dándole gracias a Dios por lo bueno que Él fue durante todo ese tiempo, y oró por todos los pacientes que quedaron allí. La mayoría de los presentes se conectaron a la oración. Yo veía a los doctores manteniendo la reverencia. Veía a las demás personas que estaban alrededor orando y llorando, sintiendo la presencia de Dios.

Estoy totalmente sano, sin rastros de cáncer en mi cuerpo.

Llegó el momento de tocar la campana. Ya frente a ella, después de adorar a Dios y darle gracias, finalmente llegó el momento de declarar la victoria.

Cuando toqué esa campana lo que vino a mi mente fue: «¡Lo logré! ¡Gracias, Padre, por permitirme lograrlo!» Y recordé: *«Ebe-ezer, hasta aquí nos ayudó Jehová»* (1 Samuel 7:12) Fue una señal de que Dios lo hizo, de que Dios me acompañó en el proceso y de que ya se acabó este asunto.

Todo el personal de enfermeras y doctores me comenzaron a abrazar por el logro de llegar a la meta; fue algo muy emocionante para todos los que estábamos allí. Luego nos fuimos a almorzar y durante el camino pensaba: «Wao, a pesar de que hubo momentos en que pensé que no lo lograría y no veía cuándo todo terminaría, finalmente lo logramos. ¡Lo logré! Pasé al otro lado. Dios ciertamente nos ayudó». ¡A Dios sea la Gloria!

Luego de este gran día, restaba esperar algunas semanas a que el cuerpo descansara y luego practicar una tercera biopsia de médula ósea. Hicieron la tercera biopsia el jueves, 16 de enero del año 2020.

El miércoles, 5 de febrero de 2020 fui a recibir el resultado de esa última biopsia.

Resultado: estoy totalmente sano, sin rastros de cáncer en mi cuerpo, y el cromosoma que estaba alterado recuperó su normalidad. ¡Completamente sano, como si nada hubiera pasado; gloria a Dios, El que siempre está en control!

Tengo el derecho de decir que este cáncer fue un regalo. Nadie tiene el derecho de quitarme mi realidad. Fue un regalo haber podido sentir a Dios cada minuto, y que se cumpliera la Palabra, Señor, de que Tú no me dejarías solo, que me darías una paz que no se entiende. Fue un regalo descubrir de primera mano que declarar la Palabra tiene poder, que el nombre de Jesús es fuerte, que la adoración me quita el temor, que el miedo es pasajero, pero Su verdad es eterna. Tanto me regaló Dios en medio de esta enfermedad, que este libro no me da para hablarlo todo.

ESTRATEGIAS DE FE

EL REGALO DEL CÁNCER

ESTRATEGIAS DE FE

Las crisis dramáticas de la vida nos llevan a escudriñar la Palabra buscando significado a lo que hemos leído toda la vida, por ejemplo, cómo orar. Logramos entender lo que Dios hizo en nosotros cuando nos creó, y nos determinamos a poner a trabajar toda la sabiduría divina que el Señor nos muestra en todas sus expresiones. Esa fue nuestra lucha; orar y adorar sin cesar con todas las herramientas de Dios en nosotros, a través de nosotros y del ejército de oración que Dios nos trajo. Si estás pasando una crisis de salud donde te presentan la alternativa de la muerte, no la recibas. Yessy y yo nos aferramos a lo siguiente. Lo compartimos contigo.

Nunca me apropié de la enfermedad que me diagnosticaron. Me negué a referirme a ella como «yo tengo…» o «mi…».

Aún en los momentos más fuertes, afirmamos Palabra de Dios y expresiones de fe como «Dios es bueno», en voz alta y en silencio, aunque no pareciera lógico ni similar a lo que estábamos viendo o sintiendo.

Evité lucir como un enfermo en el hospital, y usar las batas. Vestí mi propia ropa después de pedir autorización.

Nos mantuvimos alabando, escuchando música de adoración, y orando desde que despertábamos, y motivando a otros a orar por mí.

Creímos la promesa de Dios para conmigo y sabíamos que si faltaba por cumplirse, mi milagro ocurriría.

Protegí mi mente e insistí en creer por mi milagro de sanidad. Nunca sostuve pensamientos negativos sobre mi tratamiento médico.

Estuve de acuerdo con Dios, mis hermanos, mis amigos y conmigo en mente y espíritu en que, a pesar de lo que viera y sintiera mi cuerpo, sería sano.

Me mantuve trabajando y creando proyectos desde mi cama, planificando para que mis planes continuaran realizándose aunque estuviera hospitalizado, de manera que no se perdiera la continuidad de mi vida artística porque sabía que la iba a reanudar personalmente. Creí en el regreso a mi vida plena.

Reconocimos a todos los «mensajeros» que Dios me envió con buenas noticias.

Pedimos continuamente oraciones por situaciones y complicaciones específicas que eran parte médica de la enfermedad. Por ejemplo, pedíamos oraciones específicas en acuerdo por cada uno de los resultados de sangre, si estos no eran los más alentadores.

Creímos en el poder de la imposición de manos sobre mí y su poder de sanación, como dice la Palabra.

Nos supimos aferrados a la mano de Dios siempre.

Vimos, sentimos y creímos esperanza en todo lo que vivimos.

Mantuvimos nuestra fe siempre y creímos en mi milagro de sanidad contra todo diagnóstico.

ALABANZA Y ADORACIÓN

Al leer nuestras Estrategias de fe, habrás visto que nos mantuvimos alabando y adorando al Señor por encima de las circunstancias. Escogíamos una canción temprano en la mañana, y la dejábamos repitiendo todo el día, en un volumen bajo, aparte de las que entonábamos juntos y con nuestros amigos. Te presentamos a continuación una lista de 51 canciones e intérpretes que te ayudarán a reavivar tu fe durante tu proceso de sanidad.

1. Dios ha sido bueno — Marcos Witt
2. En paz — Daniel Calveti
3. La fe- René González
4. Estar contigo- Job González
5. Cuando oras- Nancy Amancio
6. Mi trabajo es creer- Marcos Yaroide
7. Dios de maravillas- Christine D'Clario
8. Damos honor a ti- Coalo Zamorano
9. Mi último día- Tercer cielo
10. No hay nadie como tú- Harold y Elena
11. Tu misericordia- Jacobo Ramos
12. Esperar en ti- Jesús Adrián Romero

13. El poder de tu amor- Ingrid Rosario

14. De quién temeré- Julissa

15. Dios siempre tiene el control- Samuel Hernández

16. Caminando- Musiko featuring Anna Cano

17. Dios de pactos- Marcos Witt

18. Creo- Abraham Velázquez

19. Medley: Los que confían en Jehová (En Vivo)- Yashira Guidini

20. Tú estás aquí- Marcela Gándara

21. ¿Habrá algo imposible para Dios? - Sheila Romero

22. Te bendeciré- Ingrid Rosario

23. Proveedor- Job González featuring David Reyes

24. Mi roca (Live)- Hillsong en Español

25. El Señor es mi pastor- Danilo Montero

26. No hay lugar más alto- Miel San Marcos

27. Guerrero valiente- Lilly Goodman

28. La última palabra- Daniel Calveti

29. Sendas Dios hará- Juan Carlos Alvarado

30. Mi socorro viene de ti- Josué Del Cid

31. Tus promesas- Any Puello

32. Proceso- Nimsy López

33. Ver la victoria- Elevation Worship

34. Fidelidad- Christine D'Clario featuring Daniel Calveti

35. Deja tu carga- José Flores

36. Ponle nombre a tu milagro- Ruth Mixter

37. Todo está bien- Carlos Luciano

38. Más grande- Gateway Worship

39. Lléname- Harold y Elena featuring Evan Craft

40. Al final- Lilly Goodman

41. En paz- Daniel Calveti

42. No basta- Juan Carlos Alvarado

43. En el trono está- Christine D'Clario

44. Dios imparable- Jesús Salva featuring Marcos Witt

45. Vida tú me das (Acústica) – Evan Craft

46. Ya no soy esclavo- Christine D'Clario featuring Julio Melgar

47. Dios, tú eres mi sustento- Alex Andino (33DC)

48. Un viaje largo- Marcela Gándara

49. Bienvenido Espíritu Santo- Miel San Marcos

50. He visto su gloria- Yadira Coradín

51. He visto tu fidelidad- Ingrid Rosario

¡Cree, alaba, adora y ora en todo tiempo!

Oración final

Si estás pasando por alguna enfermedad o tienes un diagnóstico nada alentador, me gustaría que leyeras esta oración
en voz alta. Mientras lees, debes creer en tu corazón que así
sucederá…

*Padre, ¡gracias por la vida que me has regalado! Pongo en tus
manos mi salud, todo mi sistema que fue creado por Ti, confiando que Tú tienes el control de todas las cosas y el poder para
hacer cualquier cambio y convertir un diagnóstico negativo en uno
positivo. Si es tu voluntad, haz una obra en mí, déjame verte y
sentirte durante este proceso. Creo en Ti. Pon paz en mi corazón
y en los corazones de mi familia. Tu Palabra dice en Salmos
41:3 que Tú me confortarás cuando esté enfermo y me atenderás
en mi lecho de dolor. Hoy te pido que me confortes. ¡Gracias; en
Ti confío!*

En el nombre de Tu Hijo Jesús. ¡Amén!

TEN CALMA

Yetsabel Bernabe y José Travieso (Travy Joe) pensaron esta canción cuando pasaron las primeras tres semanas en el hospital y Travy Joe seguía con vida a pesar del primer pronóstico médico. Al salir del hospital después de los 51 días de tratamiento, Travy invita a Juan Carlos Rodríguez del dúo Tercer Cielo a producir «Ten calma» juntos compusieron y grabaron esta letra que narra su historia y representa la victoria de su actitud de fe.

VERSO 1

Me levanto, un día normal comenzando
Lleno de metas,
lleno de sueños,
a echarle ganas,
salir a buscarlos
De momento empiezo a sentirme raro
Miro mi piel, miro mis ojos
Algo se encuentra extraño
Llegué al hospital
Dijeron más de tres semanas
Este hombre no vive
Dicen que es cáncer
En mi corazón el miedo se percibe
Confusión en mi mente
Mi vida cambió de repente
Como les digo a mi familia que estoy muriendo lentamente

No me voy a rendir
Tengo miedo pero no me voy a rendir
Se que saldré victorioso pero dame fuerzas pa' poder seguir
Aunque no lo pueda entender
No te preguntaré el porqué
Simplemente voy a obedecer
Y en Ti Jesús confiaré

CORO

Ten calma
No dejes que se pierda la esperanza
Descansa
//Que la mano de Dios es la que te guarda//

VERSO 2

51 días en el hospital
Mi esposa a mi lado
No paraba de orar
Ella confiando en que Dios me iba a levantar
Todo un ejercito orando en cada red social
No te aflijas Travy
Decían mis amigos
Me visitaban, no me soltaban
Aquí estamos contigo
Dios me dio una segunda oportunidad
Para que testifique de su amor y su bondad
Y aquí me vez puesto de pies para decirte que
Si Dios lo hizo conmigo
En ti también lo puede hacer
Pon en Sus manos toda dolencia y cargas
Mantén la fe y no pierdas la esperanza

CORO

Ten calma
No dejes que se pierda la esperanza
Descansa
Que la mano de Dios es la que te guarda
Ten calma
No dejes que se pierda la esperanza
Descansa
//Que la mano de Dios es la que te guarda//

FINAL

Que la mano de Dios es la que te guarda

ACERCA DEL AUTOR

José Travieso, mejor conocido como Travy Joe, es el pionero, a nivel mundial, en grabar un álbum de reggaetón cristiano y ser difundido en la radio y televisión de Puerto Rico, con el grupo «The Christian Rappers», donde fue el líder vocalista.

Su carrera musical comenzó con William Omar Landrón Rivera, conocido en el ambiente artístico como «Don Omar», quien para ese entonces era pastor.

Travy se lanzó como solista con el álbum «Different Flow» en el año 2004. Estuvo trabajando de la mano durante diez años con el sello discográfico CanZion, de Marcos Witt,

y su música se dio a conocer a nivel internacional en toda
América Latina.

Travy Joe es compositor, productor y predicador. Une a
sus conciertos y presentaciones musicales la ministración
ungida que transforma ambientes y personas. Su vida es un
testimonio de milagros de sanidad desde sus cinco años de
edad cuando le diagnosticaron con lordosis y escoliosis, y le
predijeron que estaría parapléjico el resto de su vida. Por la
fe y la oración, Dios le sanó públicamente, mientras estaba
acostado en el altar de su iglesia.

El cantante guarda además el milagro de su matrimonio con
Yetsabel Bernabe, de quien se divorció al año de casados y
con quien regresó luego de siete meses de separación, hasta
continuar felizmente casados hoy, 16 años después.

Travy ha grabado seis producciones discográficas como
solista, y su música se escucha en 79 países por radio AM y
FM, y en plataformas digitales. En el 2015, fue ganador del
Premio Arpa en la categoría «Mejor álbum urbano» en la
Ciudad de México, con el disco «Intimidad 911»,

Por diez años fusionó su estilo original del reggaetón con
otros ritmos, lo cual causó que se alejara del género urbano
cristiano. Tuvo una conversación con Dios, donde le dijo
que ya no quería hacer las cosas a su manera y que lo haría
todo a la manera de Dios. En ese momento grabó el tema
«A tu manera».

Cuando Travy sintió de Dios regresar a retomar su carrera
con este nuevo sencillo, le diagnosticaron Leucemia Promielocítica Aguda (cáncer en la sangre), dándole la noticia
de que solo le quedaban tres semanas de vida. Después de

un impresionante y fuerte proceso lleno de estrategias de fe, Travy Joe sanó milagrosamente, cada vez más conmovido por los milagros que Dios ha hecho desde su niñez, en su matrimonio y recientemente en su vida.

El reconocido cantante de música urbana cristiana ha llevado la Palabra de Dios y presentado el plan de salvación en más de siete países de Europa, Estados Unidos, Centro América, Sur América y Australia.

WWW.TRAVYJOE.ORG

CONTACTO@TRAVYJOE.ORG

f /TRAVYJOEOFICIAL

🐦 /TRAVYJOE

📷 /TRAVYJOE